Maquette de la couverture : J.-C. Maillard

VEHI-CIOSANE

ou

BLANCHE-GENÈSE

suivi du

MANDAT

SEMBENE OUSMANE

VEHI-CIOSANE
ou
BLANCHE-GENÈSE

suivi du

MANDAT

PRÉSENCE AFRICAINE
25 *bis*, rue des Écoles 75005 Paris

ISBN 2-7087-0170-3

Copyright : Editions Présence Africaine, 1966

VEHI-CIOSANE

ou

BLANCHE-GENÈSE

Il fut l'un de mes compagnons de toute ma jeunesse. Ensemble nous subîmes les épreuves initiatiques. Devenus hommes nos chemins se séparèrent. Il crut au Dieu du *Gain*, au bonheur avec *Argent*. Après la guerre 39-45, il s'engagea dans le corps expéditionnaire français.

Il mourut sans le sou en Indochine, juin 54.

A ce vieux Boca Mbar
Sarr PATHE

SANS VIE

PATHE

Est-ce au sommet de la colline
Est-ce entre deux rizières
Est-ce à l'orée des bois
Est-ce l'eau qui t'a emporté
Est-ce sur le petit chemin

De nulle part ne s'amoncelle
ta tombe

As-tu même un amoncellement de déchets
Un ourlet de terre
Un semblant de corps
Un reste de tige

Qui planterait quelque chose
sur ta mort morte

Une tombe d'un pied de long
sans épitaphe
Qui gît là sous ce tertre

Dessus souffla le vent
La pluie tassa la terre
Mélancoliques serpentent les formes
Luttent encore les hommes et les femmes
de ce pays...
... Et ce n'est plus contre la France

C'est l'Amérique " phare du monde libre "
qui bombarde ta tombe vingt ans après..
Une morte mort de rien

Plus de croix
Plus de terre
Où est-elle ta tombe

C'était une petite vie
Epithète de bois

PATHE

Ah !... vieux compagnon
Né du même village
Pas une larme d'épouse
de promise de mère et d'enfant
Même pas une tombe

Pauvre Mère Afrique
Stérile tu aurais été un paradis
pour tes fils...

Il naît parfois dans les plus simples familles, des plus humbles communautés, un enfant qui, en grandissant, élève son nom, le nom de son père, de sa mère, de toute sa famille, de sa communauté, de sa tribu ; plus encore par ses travaux, il ennoblit l'HOMME.

Plus fréquemment vient au monde, dans les communautés de castes dites supérieures, de passé glorieux, un enfant qui, par sa conduite, ternit tout l'héritage de son passé, blesse l'honnête HOMME de passage, éclabousse même la dignité de l'individuel diambur-diambur.

L'histoire que je vous conte aujourd'hui est aussi vieille que le monde. Les institutions les plus primitives, comme celles de notre temps, relativement mieux élaborées, implacablement la condamnent. Et encore, dans certains pays, ceci n'est délit que lorsque la jeune fille est mineure, ou le garçon. Certes, il restera la question morale... le délit moral.

Pendant des années, je me suis entretenu avec quelques-uns d'entre vous : AFRICAINS. Les raisons, vos raisons, ne m'ont pas convaincu. Certes, vous étiez d'accord sur ce point : "N'écris pas cette histoire." Vous argumentiez que ce serait jeter l'opprobre sur NOUS, LA RACE NOIRE. Mieux, ajoutiez-vous, les détracteurs de la CIVILISATION NEGRO-AFRICAINE allaient s'en emparer, et..., et..., et... pour nous jeter l'opprobre.

De peur d'être pédant, je me refuse d'analyser vos réactions devant ce cas. Mais quand cesserons-nous de recevoir, d'approuver nos conduites, non en fonction de NOTRE MOI D'HOMME, mais de la couleur des autres. Certes la solidarité raciale existe, mais elle est suggestive. Cela est si vrai que la solidarité raciale n'a pas empêché les assassinats, les détentions illégales, les emprisonnements politiques des dynasties régnantes d'aujourd'hui en Afrique noire.

Je sais également, et vous aussi, que, dans le passé comme dans le présent, il y eut chez nous beaucoup d'actions héroïques anonymes. Mais tout n'a pas été héroïsme chez nous. Or, parfois, pour saisir le tout d'une époque, il est bon de se pénétrer de certaines choses, faits, conduites. Car ceux-ci nous aident à descendre dans l'HOMME, dans sa chute, et nous permettent de mesurer l'étendue du ravage.

La débilité de l'HOMME DE CHEZ NOUS — qu'on nomme notre AFRICANITE, notre NEGRITUDE, — et qui, au lieu de favoriser l'assujettissement de la nature par les sciences, maintient l'oppression, développe la vénalité, le népotisme, la gabegie et ces infirmités par lesquelles on tente de couvrir les bas instincts de l'homme — que l'un de nous le crie avant de mourir — est la grande tare de notre époque. Et l'on pousse la surenchère de la spéculation intellectuelle sur notre société contemporaine, charnière de notre passé et de notre avenir, sur la sociabilité de nos pères, nos arrières-grands-parents. Et ces ténors intellectuels ignorent ou feignent d'ignorer l'époque de nos pères, de nos grands-parents, au temps où le SAHHE[1] était orgueil, ils ignorent les besoins de cette époque, la résistance passive, parfois active devant l'occupant, et aussi l'effritement de la communauté.

Personnellement, je ne peux pas dire comment débuta cette histoire. C'est toujours avec prétention — point de vue personnel — qu'on pense déceler l'origine d'un drame de cette nature ou de cet ordre.

Je sais que tu vis, VEHE... (BLANCHE). Peut-être quand ton âge d'aller à l'école arrivera, trouveras-tu une place, et plus tard prendras-tu connaissance de

---

(1) *Sahhe:* grenier-économat.

ces lignes. Plus sûrement, comme des milliers d'autres de ton âge, ne liras-tu jamais ces lignes. Les symptômes du présent — notre vie sociale — ne m'autorisent pas à te prédire une vie meilleure. Alors, comme des milliers, anonymes, arrivée à l'âge de conscience, tu te révolteras d'une mauvaise révolte — individuelle ou collective — mal dirigée.

Ta mère, elle, notre contemporaine, illettrée — en français comme en arabe — n'a pas la possibilité de lire ces pages. Elle vit seule; une façon de se vêtir de son drame.

Pour toi, VEHI CIOSANE[1], NGONE WAR THIANDUM... (BLANCHE-GENESE NGONE WAR THIANDUM), puisses-tu préparer la genèse de notre monde nouveau. Car c'est des tares d'un vieux monde, condamné, que naîtra ce monde nouveau tant attendu, tant rêvé.

Ndakaru, Gamu 1965.

---

(1) Prononcer: *Thiosane.*

Le niaye est au singulier en volof. Les colonialistes l'écrivaient au pluriel. Il n'est ni savane, ni delta, ni steppe, ni brousse, ni forêt : une zone très singulière qui borde l'océan Atlantique dans sa sphère occidentale, et qui s'étend de Yoff à Ndar, et au-delà... d'où surgissaient des hameaux, des agglomérations aussi éphémères que les gouttes d'eau recueillies sur des cils. Dès Pikine, ce fameux champ de bataille que ressuscitent de temps en temps les griots, surgit le niaye, vaste étendue sans fin avec ses molles collines revêtues selon les saisons de toute une gamme de végétation : herbes courtes d'un vert bouteille nées d'une saison : le *navet* (saison des pluies) ; baobabs nains, massifs aux fruits d'un goût savoureux : le lalo, feuilles de baobab séchées, pilées, tamisées qui, assaisonnées au couscous, donnent à cet aliment sa saveur, le rendent léger au palais ; oasis de cocotiers; palmiers poussant à-la-va-où-je-veux, élancés, aux longues palmes mal nattées, folles; rôniers solitaires d'une rigueur ascétique, rudes de maintien, défiant la voûte de leur long fût, coiffés de feuilles en éventail, se mesurant à l'horizon du jour naissant, comme à celui du jour finissant; vergers d'acajoutiers touffus, aux branches tombantes en forme de case de pulard, peuplés de

cruelles fourmis; nérés, cades, autres arbres aux noms
inconnus de moi, étalaient — selon la saison — leurs
branchages aux ombres généreuses, où, fatigués, venaient se reposer les oiseaux minuscules du niaye...

Les poches d'eau, croupissantes, revêtues de larges feuilles de nénuphars fortement vertes, ajouraient
leurs rives de petits palmiers, prodigues de leur sève
d'un parfum délicieux, enivrant. Les lacs et les
étangs différaient de formes de végétation.

Cheminant à travers le niaye, l'impression de recu-
ler, ou de n'avoir pas progressé s'impose au regard
de l'étranger : uniformité... touffes de cactus, de
figues de Barbarie, de vradj, de sump se coupent,
découpent le moutonnement du même boubou blanc
crémeux du sable. A l'horizon, fuyant, têtu, se re-
layent les dunes, inégales. Par-dessus, le ciel — ce
ciel africain continentalement vaste — en eau de
mercure, selon les mois.

A la mi-temps du jour, assujetties, bêtes et choses
gagnaient leur havre. La vapeur blanchâtre, tel un
bain chaud montait — illusion d'une mer en mouvement. Une gaze de nuance indigo bleu clair se
mariait avec cette ligne, courbe, brisée de l'infini.

Les herbes du dernier *navet* (hivernage), mortes,
cassées, s'enfonçaient dans le sol doux. Les sumps
hérissaient leurs épines en herse. Les feuilles — toutes les feuilles mortes qui n'ont pu prendre racine
— balayées par le vent s'y enfonçaient, jouant de
leur arête avec le vent. Un long et monocorde
sifflement s'entendait de n'importe où du niaye,
exception faite pendant le navet. Ce sifflement devenait lugubre au crépuscule. Jadis, nos grands-parents
disaient que le niaye geignait.

L'air, torride, immobilisait toute la gent animale:
les scarabées, les grosses araignées venimeuses, noires
ou grises, se tapissaient dans leur lit de feuilles des-

séchées; les lézards, toute la série, les serpents et
autres reptiles vivaient repliés sur eux-mêmes. Aucun
cri de vie, d'insecte, d'oiseau — si ce n'est ce cor-
beau, ou cet épervier chassé de son abri par un
plus fort, survolant le niaye, poussant sa plainte de
faible.

Tout cela refermé dans cette immense solitude
muette du niaye : la retraite forcée du milieu du
jour.

A mesure que le soleil s'inclinait, comme délivrés
de la tyrannie oppressante, collines, palmiers, cades,
sumps, baobabs, cocotiers, acajoutiers, rôniers allon-
geaient leur silhouette, dessinant sur le sol de
teinte beurre rance leur corps d'ombre. La société animale sortie de sa claustration reprenait sa
rude existence, tissant sur le sable de multiples figu-
res d'empreintes. Le niaye suivant le coucher du
soleil, de seconde en seconde, déployait la féerie de
ses tons : là-bas, vers le couchant, légères, les couches de nuages du safran le plus accentué, au bleu
turquoise en un seul boubou sorti de l'indigo, se succédaient pour le ravissement du regard. Et pendant
le navet, quand les jeunes herbes de leur verdeur
crue, revêtent tout le parterre d'un seul ton, le niaye
et son coucher de soleil hivernal restent encore un
des spectacles à voir et à revoir.

A mesure que s'enfonçait l'astre du jour, les aspé-
rités des objets, des plantes, le mamelonnement des
dunes s'associaient, s'uniformisaient pour ne devenir
qu'un.

La nuit, le niaye ne se mesurait pas du regard :
c'était une profondeur sans liquide ; dessus, un ciel
immense, troué de cette multitude de points blancs.
Les gens du niaye disent avec admiration : " · La
montagne n'est pas plus haute que la dune. Elle
n'est tout au plus qu'un amoncellement de plus de

grains de sable." Et les autres répliquaient : " Certes, oui. Mais en bonne logique une fourmi au sommet de la montagne est plus haute que la montagne... "

Aussi longtemps qu'on " descend " ou que l'on " remonte " pour s'approcher de nos ancêtres, du temps de nos grands-parents — sans oublier les trois siècles de pratique négrière, plus un siècle de colonisation — il n'y eut jamais de maisons en dur dans le niaye. Rien de ce qui peut faire dire ou penser aux regards étrangers : " Ici vécurent des hommes, des femmes, ingénieux, soucieux de leur époque, pensant au futur, ou à la durée temporelle... " Pas de portes avec arches, ni demeure de pierre, clôturée de véranda surélevée, ni jardin avec des agencements de fleurs dans une rivalité de tons, ni monuments à la gloire des premiers hommes, ni sépulcre témoin de ce temps-là.

Santhiu-Niaye, où se déroule notre histoire, ne différait en rien des autres hameaux. Santhiu-Niaye n'attirait pas annuellement cette procession de milliers de Sénégalais se rendant, les musulmans à Tiwawan, à Tuba, à Ndiassane; les chrétiens à Popenkine. Les habitants n'eurent jamais la visite de la Vierge Noire, ni d'un cheik, et non plus personne d'eux n'eut la bonne fortune de se rendre à la Kaba ou à Rome.

Pourtant, ils croyaient ferme, sincèrement, usant leur peau frontale, leurs genoux à la prière : cinq fois par jour. Il n'y avait ni école, ni dispensaire, et pourquoi faire un commissariat ? Les autorités y venaient une fois pour l'impôt bon an mal an.

Avant notre drame — si drame il y a — , Santhiu-Niaye avait vu son étoile briller, son pouls battre de la vitalité du temps de nos pères, même de nos arrière-grands-parents, du temps où le *sahhe*... (grenier-économat) servait d'épargne à la famille. Chaque famille avait ses champs; maïs, mils, arachidiers, maniocs, patates. Sous la pénombre de la case-maîtresse, le sahhe, orgueil des membres de la famille, attirait les regards selon sa capacité.

Maintenant, — notre temps — telle une calamité, année par année, les bras valides s'en allaient tenter fortune dans les cités urbaines, où selon toute apparence, la vie semblait plus facile. Aussi navet après navet, les récoltes s'amaigrissaient. Les pères de famille, les visages tannés par l'excessif soleil, les energies dépensées en vain, se repliaient sur leur instinct de conservation avec une virulence inconsciente : une prescience d'un avenir qui les terrorisait déjà. Ils se nourrissaient du *adda*... (coutume-tradition) et de la promesse hypothétique d'une place de choix au paradis. Le paradis d'Allah, comme un clou planté au centre de leur cerveau, pierre angulaire de toute leur activité au jour le jour, amoindrissait, ébréchait la vive imagination pour l'avenir. Ils en étaient à cet état où ils ne sentaient plus le désir et où ils s'enfermaient avec ce vieil adage : " La vie n'est rien. " A la limite de leur existence, ici-bas, ne se dressait rien, rien qui puisse enflammer la convoitise du vouloir. Une fois la nécessité d'exister et non de vivre, satisfaite, le reste — qu'est-ce que le reste ? — était vain. Au-delà du reste, il y avait l'orgueil d'homme.

La dénudation d'alentour — ce complet dénuement qui aveugle les esprits — les rendait incapables de concevoir, d'oser, de se sacrifier pour les enfants. Cet ardent désir de sacrifice de soi, ce don de soi pour les autres — ce refus de la résignation, cet arrachement à l'instinct atavique, premier pas vers

l'avenir — étaient pour ces gens, un acte de lèse-
croyance, un défi, et délit moral contre le vieil
ordre établi.

Et Santhiu-Niaye, vide de sa force agissante, se
dépeuplait, croupissait. Entre les venelles des palissades croulantes, au *peinthieu*... (place du village)...,
sous l'arbre où venaient s'asseoir les vieux, regardant
fuir le temps, la vie coulait, monotone. Ne se réper-
cutait plus le tam-tam des nuits au clair de lune.
Et pire encore !... Au coude de la nuit, au moment
où la grosse bûche sommeilleuse couvrait de sa
calle de cendre le cœur de la braise qui, demain,
encore, rallumera les foyers, à ce coude de la nuit,
ne résonnait plus le sifflement victorieux du jeune
amant, qui, d'un pas joyeux, s'en revenait de la
case de sa bien-aimée. Froids étaient les regards des
jeunes filles. Leurs yeux de biche ne rencontraient
plus ceux pour qui battait leur cœur, en épiant gestes et paroles. Elles ne composaient pas — ou ne
savaient pas composer de chansons. Elles reprenaient
celles de leurs mères, au temps où celles-ci étaient
des jeunes filles : ces mêmes mélopées, chantonnées
jadis, étaient vie. Elles — les mères — les avaient
créées pendant les luttes nocturnes, ou dans l'ardeur
compétitive au front du travail dans les champs de
maïs, de mils, d'arachidiers. Maintenant, ces chanson-
nettes évoquaient le temps d'hier, gai. Elles alourdis-
saient leur tristesse et leur angoisse de mère devant
ce vide de prétendants pour leur progéniture. Et les
mères... " *Je vous salue femmes d'ici, d'ailleurs. Profondeur océane !... Vous êtes* terre. *Si profonde, si
large est la mer, vous êtes le dessus et le dessous et
l'autre rive...* " Leur chœur meurtri, réentendait leurs
créations d'alors d'une mauvaise oreille. Asservies
par l'homme, craintif de la vérité d'aujourd'hui.

Silencieuses, la mort dans l'âme, les mères se taisaient.

Les cycles des saisons suivaient leurs cours. La singulière nature du niaye soudait et divisait les gens.

A Santhiu-Niaye, vu du haut de la dune, s'alignaient les cases selon une loi de l'urbanisme propre
aux gens d'ici : l'alignement par famille et rang.
Les maisons se couchaient comme une fille frileuse,
peureuse, nue, les mains jointes entre les cuisses.

Le chien poussa à nouveau ce même aboiement accompagné des mêmes jappements. Ngoné War Thiandum d'un sursaut était arrachée au sommeil réparateur. Les préjugés défavorables à l'encontre de cet animal d'enfer, et toutes les légendes malfaisantes entretenues à l'actif du chien, pendant un temps, lui remontèrent à la mémoire.

La case se noyait dans la profonde obscurité : dans le village endormi, seule la voix du chien était vivante. Ngoné War Thiandum tendit l'oreille, loin... Rien aussi n'arrivait à son oreille. De la journée d'hier, ni de celle d'avant, non plus de la précédente, elle ne s'était éloignée plus loin que la porte de la cuisine, bien que ces trois jours fussent son *aïyé* (aïyé — momé : synonymes ; nombre de jours qu'un polygame consacre à une des co-épouses). Elle s'adossa à la paroi en tige de bambous. Toutes à la fois surgirent ses préoccupations. La respiration de son mari, régulière, forte, emplissait la case. Au fil des ans — plus de vingt-cinq — Ngoné War Thiandum s'était accoutumée à cette respiration, à ce corps, à ce bras qui la touchait par les doigts. Elle devinait dans cette eau de sêche, la bouche — moyenne avec de solides dents —, les oreilles — les oreilles décollées de tout Ndiobène (famille des Diob), la tête

ronde avec des cheveux à moitié blancs, tondus men-
suellement.

La paillasse bruissait : la forme devenait vie ?...
Non !... Les doigts se retirèrent de leur havre de
sommeil. A ses pieds s'ancra un pied, chaud, endormi.
Son cœur s'élança. L'impétuosité du sang réchauf-
fait mal ses souvenirs qui trébuchaient sur les
récifs de son passé. Elle s'efforçait de renoncer
à ce passé, à ce corps. Elle ne le put, même en
brutalisant ses souvenirs. Tout comme des mottes de
terre spongieuse grain par grain se fondent, les rémi-
niscences s'opposaient, s'entrecoupaient avec d'autres. Tantôt l'accalmie lui offrait une trêve et le
sommeil l'enserrait pour se rompre, sec, et la replon-
ger dans son état de fiévreuse. Elle n'avait rien pour
calmer les élancements de son cœur. L'esprit
en vol planait d'une cime à l'autre de sa vie passée,
présente. Elle reprenait alors le fil d'une sorte d'existence nouvelle, horrible : toute son existence d'hier
alimentée de beaux préceptes n'avait été que menson-
ges. Elle n'avait vécu que prisonnière d'un ordre moral faussement mensonger ... " Autrement comment
et pourquoi cet acte ? " se demandait-elle.

Le corps lâcha un râle sonore. Du pied monta
cette sensation désagréable : à cause de ce pied sur
son tibia, tout en elle était sensibilisé à ce point de
contact. Aucune de ses réflexions ne pouvait se décol-
ler de cet endroit. Le dégoût que lui inspirait son
corps avec ce membre lui ravissait tout mouvement
agressif, et la retenait comme une pirogue échouée
dans la vase casamançaise en attente de sa décom-
position.

Ngoné War Thiandum en avait assez de cette
détresse têtue. L'excitation curieuse qui, fragmentai-
rement l'avait conduite à trouver le géniteur de l'enfant illégitime que portait sa fille, s'était d'un coup

brisée. Elle tendit l'oreille de nouveau, guettant des signes annonciateurs d'un jour nouveau. Luttant contre l'emprise de l'inertie et le désir de se rebeller une fois — une seule fois depuis plus de vingt ans — de retirer ce pied. Vaincue, elle chuta, moralement. Elle se haïssait dans sa défaite, méprisant souverainement cette vie, la sienne. Sur le sentier qu'était sa vie, la vie de sa famille (les Thiandum-Thiandum dont elle était l'unique descendante, maintenant), elle avait pris soin de s'acheminer, sans déborder de la voie que ses prédécesseurs avaient tracée, léguée, la bordant de leurs noms et conduite sans tache. On l'avait unie aux Ndiobène, clan aussi noble dont les noms étaient aussi légendaires que le sien. Dans cette vie de *guelewar*... (de sang noble) une tache indélébile, cet acte incestueux, plus qu'un affront pour tous, venait souiller les Ndiobène et les Thiandum-Thiandum.

Lumineuses surgirent les paroles du sage : " Il naît parfois, dans de plus simples familles, des plus humbles communautés, un enfant qui, en grandissant, élève son nom, le nom de son père, de sa mère, toute sa famille, sa communauté, sa tribu. Plus fréquent, vient au monde dans des communautés de castes dites supérieures, de passé glorieux, un enfant qui, par sa conduite, ternit tout l'héritage de son passé glorieux, éclabousse même la dignité de l'individuel diambur-diambur. " Ceci dit en pensée, elle hésitait encore à agir.

Le reste de la nuit était long, plus long que les précédentes nuits. C'était la dernière nuit de son aiyé (selon l'immuable loi de la polygamie, jusqu'au lever du soleil, tout ici, était à elle : homme et objets). Courageusement, avec précaution, elle retira son pied, descendit du lit, referma la porte derrière elle.

Dehors, scintillaient encore quelques étoiles, une dernière fois pour cette nuit.

" Yallah ait pitié de moi. Moi, simple femme ! Qu'Il éloigne de moi les sombres et tenaces pensées vengeresses. Moi, mon *Yallah* (Allah), j'ai toujours obéi à tes commandements, interprété ce que j'ai entendu. Tu as été mon guide et mon témoin, tes *malaika* (anges) mes intimes compagnons. Jeune fille, j'ai, comme toutes, élevé mon regard sur les gens de mon âge d'alors, ri aux éclats, couru sur terre, dansé avec frénésie sur la terre. J'ai ébouillanté la terre, la terre engorgée de la présence des morts, des morts des autres, dans des moments de grande hâte. Est-ce péché ? Je te demande pardon, Yallah. Devenue femme, plus femme, plus jamais mon cœur n'a souri à un autre homme, plus jamais mon esprit ne s'est égaré à de libertines pensées. Humble, mon Yallah, comme Tu le veux, comme Tu le désires pour tes sujets. Epouse, mère, je le suis restée sans rechigner, sans incriminer les écarts de conduite de mon mari ; docile à mon maître — mon maître après toi, Yallah —, mon guide dans ce monde, mon plaideur dans l'autre, selon tes dictées. Du repos, je n'en ai eu que, lorsque lui, mon maître avait le repos. Jamais le timbre de ma voix ne s'est d'une octave élevé plus que le sien. J'ai toujours gardé en sa présence mes cils rivés au sol... Astafourlah !... Peut-être pas tous les jours, mon Yallah. Je lui ai toujours obéi, sachant que j'obéissais à ta volonté... Yallah !... pardonne-moi, mais pourquoi cet acte ?... Pourquoi ?... "

Comme une boule obstruant le goulot qui débitait ses pensées, la poche se referma. Ngoné War Thiandum ne savait si c'était une prière, une incrimination qu'elle adressait à son Yallah, ou si par euphémisme, elle faisait le procès de sa vie, la règle de cette vie. Fatiguée, elle se reposait de ses longs moments de contention. Le poids de tant de jours, de tant de nuits, assombrissait l'horizon de sa quiétude. Au tréfonds d'elle, elle souhaitait la disparition de Santhiu-Niaye. Sur l'écran de sa pensée, elle assistait avec satisfaction à l'engloutissement par les dunes, une par une, des concessions et de leurs habitants. Cette communauté qui lui tournait le dos, la laissait seule en tête à tête avec sa honte, elle la réprouvait.

Comme toutes les femmes d'ici, Ngoné War Thiandum figurait dans cette société, alimentée de sentences, de conseils de sagesses, de recommandations de docilité passive : la femme ceci ; la femme cela, fidélité, attachement sans borne, soumission totale corps et âme, afin que l'époux-maître après Yallah intercède en sa faveur pour une place au paradis. La femme s'en trouvait dans le rôle d'auditrice. On ne lui donnait jamais — hormis les travaux domestiques — l'occasion de formuler son point de vue, d'émettre son opinion. Elle devait écouter, appliquer ce que son mari disait. Ngoné War Thiandum en était arrivée à se dire, mieux à se convaincre que ce que disait l'homme avait plus de sens que ses idées tortueuses. Femme — parmi toutes les femmes, pensait-elle — elle n'a jamais eu une idée heureuse. Devenue mère, elle avait bâti l'existence de ses enfants, la sienne selon les principes moraux reçus. Maintenant, l'abominable acte se plantait entre ce présent avilissant et ce passé digne de respect. Elle se débattait pour retrouver la félicité engourdissante de cette existence morale d'hier. Une puissante poussée en dedans d'elle la drainait, la conduisait jusqu'au seuil du drame, ce drame qui la minait, ruinait sa dignité. Avec furie, elle les repoussait, animée de l'ardent besoin de se libérer.

Ces soubresauts investigateurs finirent par l'étrein-

dre, par prendre racine, trouvant dans cette vie saine
un terrain favorable. Cette vie, hier étayée par les
lois coraniques, le adda, cédait. Torturée, la volonté
broyée, propice aux prédispositions semi-passionnel-
les, l'acte d'aujourd'hui l'obligeait à remettre en cause
les raisons évidentes de ce qui, hier, était sa raison
d'être. Comme un accroc, un tout petit trou, qu'elle-
même par inconscience élargissait, elle accédait à
cette découverte — une démarche nouvelle — à juger
tous les événements, à partir de son moi de femme.
Cette nouvelle acquisition (responsabilité) chez un
être dont jusqu'ici l'opinion était décidée par autrui
lui fut brutale.

A peine fut-elle dans sa case qu'elle ressortit :
les coqs, de carré en carré, se relayaient de leur
cocorico ; puis monte le *node*... (appel du muezzin)
qui s'éparpillait. En dépit de sa grande blessure morale, Ngoné War Thiandum alla prendre un bain,
s'acquitta de la première prière du matin, ensuite
elle alla s'abriter derrière le petit écran de palissade
qui la séparait du reste de la maison. Là, seule, elle
égrenait son chapelet.

Santhiu-Niaye se réveillait ; les martèlements des
pilons se succédaient. Comme un œil paresseusement
s'ouvrait d'entre les cils, le soleil fixait le niaye.

Ngoné War Thiandum était distante, recluse, rien
de son entourage n'éveillait la moindre parcelle d'intérêt matinal : les échos, les répercussions des coups
de pilon, les marmites oubliées la veille dans la cour,
les calebasses fêlées qu'on se promettait de ravauder,
une bûche qu'on récupérait, les brindilles de balai
qu'on ramassait, la peur des braises qui blessaient
la terre et les morts ensevelis dans cette terre, ces
faits, tous ces faits quotidiens, éléments de son uni-
vers, incorporés dans sa vie de femme, d'épouse, la
laissaient indifférente.

Ce détachement de tout ce qui avant la liait aux
autres, n'échappait à personne. De crainte que se di-
vulguât ce qu'elle savait, elle cachait son regard. Ses
yeux baissés ne s'arrêtaient plus sur les gens et les
objets. La lugubre impression d'être vouée à l'opprobre faisait crier toutes les parties de son corps. Jusqu'à ses lèvres qui ne lui inspiraient plus confiance.
Ne pensait-elle pas que les lèvres pouvaient parler
indépendamment de sa volonté ? Elle les craignait et
les couvait, le front baissé. Cette appréhension d'être
trahie, d'être à l'index, la poussait, la contraignait à
se replier intérieurement en elle. L'angoisse qui naissait de cette phobie d'être la risée de toutes, de
tous, le dépotoir, elle qui était née guelewar de père
en fils sans ombre de soupçon, de penser que sur
son dos on dirait :

— Ne sais-tu pas ?

— Non ! Instruis-moi !

— C'est simple! Ce qu'on croyait n'est pas. Ce
n'est pas un étranger qui a fait portée à sa fille.

— Que dis-tu ?

— Vrai comme le jour.

— Et qui est-ce ?

— Qui ?... Oses-tu me le demander?

— Foi de mes ancêtres, je ne sais pas.

— Approche ton oreille. Voilà !... Regardons s'il
n'y a personne qui rôde. Voilà... C'est son mari. Le
père de sa fille, Guibril Guedj Diob.

— Astafourlah ! Astafourlah ! Eiye... eiye ! que
dis-tu ?

— Vrai comme le jour.

— Est-ce possible ? Passe la journée en paix ! Les
détails, je t'en fais cadeau.

Derrière le mbagne-gathié — cet écran de palissade qui protège du regard étranger —, elle enten-

dait la voix de sa co-épouse, la troisième. Elle gour-
mandait les enfants. Un moment, ses pensées s'ac-
crochèrent aux paroles de la co-épouse.

Ngoné War Thiandum avait du mal à retrouver
l'instant de communion avec Yallah. Tenant son chapelet, les morsures dévastatrices broyaient son cerveau avec fracas, tels les cratères d'un volcan en
ébullition. Elle geignait comme une lionne frustrée.
Lorsque la tempête en dedans se calmait, dans les
intervalles de paix retrouvée et que l'indolence
remontait en surface, en filigrane, l'image de sa
fille, Khar Madiagua Diob, se jouait des reflets de
son imagination. Elle la voyait coquette, d'une co-
quetterie élémentaire. Elle entendait la bande joyeuse
des jeunes filles ergotant sur leur futur enfant, comment elles dirigeraient leur ménage. Les jeunes filles,
à ce propos, se chamaillaient vertement sur les pri-
vilèges d'être la première épouse, de ses désavantages,
du vieillissement prématuré à côté de la deuxième
épouse, troisième et quatrième épouse. Elle, Ngoné
War Thiandum, mère, ayant vécu toutes les phases,
prodiguait des conseils, démontrait la défaveur de
ceci, songeant tout bas à l'homme qui serait son
gendre. Elle avait souhaité, prié pour Khar Madiagua
Diob, sa fille, un homme travailleur, pieux, de bonne
caste, sans défaut de lignée.

Ces moments de rêve, depuis la grossesse de sa
fille s'étaient envolés comme fétu de paille pris dans
une tornade et réapparaissait la luxure en effluve subtil. Ses doigts, nerveusement, coinçaient les perles
du chapelet, les dents serrées, les mâchoires crispées
tant la souffrance vive la torturait. L'envie de faire
du mal, faire souffrir, non de tuer, son mari, sa
fille, à défaut une autre personne lui ôtait presque
toute retenue. Elle étrangla pourtant le cri qui lui
montait du ventre, qu'elle avait longuement asservi,

ce cri s'arrachait du fond de sa gorge drainant des lambeaux de chair cuisants ; elle se raffermissait, luttant contre elle, et l'expira dans un gémissement de supplication furieuse. Ce cri n'était qu'un éclatement d'une anodine réflexion non dirigée. Toute sa personne était en flamme.

Elle ne vit pas arriver Gnagna Guissé : l'ombre de l'arrivante s'était imprimée sur elle. Elle leva sa figure ravagée, les paupières épaissies par le manque de sommeil de ces trois dernières nuits. L'œil gobait Gnagna Guissé de la tête aux pieds. Gnagna Guissé la fixa, remarqua la lueur dansante de l'effroi sur ce visage — ce visage qu'elle connaissait sobre, sans artifice —, au coin de la bouche, légèrement crispée, l'amertume jetait son ombrage. Gnagna Guissé était de son âge, la quarantaine passée à peine, de caste griote : elle était son *guevei-diudu* (griote généalogique). Une vieille amitié les liait un peu particulièrement, cette particularité de l'amitié féminine de chez nous : inséparables, elles se rendaient au puits. Sans l'une, l'autre préférait attendre. La même pâte de henné servait aux deux ; le même cui (minuscule calebasse) d'antimoine pour lustrer leurs cils, sourcils, la lèvre inférieure tatouée. L'une ne revenait jamais du chef-lieu sans rien pour l'autre, à moins d'en revenir avec rien pour soi-même. Elles ne se contentaient pas d'avoir les mêmes goûts. Elles voulaient tout uniformiser, leurs accoutrements, leurs tresses étaient pareilles. Mais leur entrée dans la société des mariées, leur rôle d'épouse, de mère et des conditions de naissance firent qu'elles s'éloignèrent tout en gardant chaude leur amitié de jeunesse.

Ngoné War Thiandum, d'un mouvement de reins, bougeant de côté, l'invita à s'asseoir sur le tronc de l'arbre mort. L'échange des banales politesses du

matin ne préoccupait pas Ngoné War Thiandum.
Elle répondait, brève, par des phrases toutes faites.
Elle guettait les paroles de la griote, avide de ce
qu'elle allait dire. Dans cette attente, elle perdait
aussi patience et l'émotion douloureuse qu'elle couvait depuis des mois comme la marée montait,
gagnait du terrain et la submergeait.

Gnagna Guissé, experte grâce à sa condition de
griote à jauger l'élément féminin, du regard avait
pénétré la mère. L'observant de profil, elle vit les
nerfs du cou saillir par bonds, apparaître et disparaître. Demeurant comme à l'origine de cette histoire,
sachant son rôle, circonspecte, elle dit :

— Ngoné, mon Ngoné, personne ne sait ce que tu
deviens ? Tu fuis la société. T'a-t-on fait quelque
chose ?

— Non !... Non !... Personne ne s'est montré mal-
appris avec moi, avait-elle répondu refoulant la
réplique qu'elle avait sur la langue.

— Qu'as-tu donc ? Depuis des mois, tu dépéris,
tu broies du noir. Je comprends ta douleur de mère,
ta déception, mais que peux-tu faire maintenant ?...
Rien ! Nul ne peut échapper à son destin. S'il est
vrai comme on le dit, que c'était écrit, que tout acte
était écrit avant notre naissance, que nous ne sommes
que de sombres acteurs, alors, tu dois faire confiance
à Yallah. Yallah voit tout, sait tout. Il est le seul
juge. Le seul qualifié pour juger chacun.

Ngoné War Thiandum courba la nuque. " Savait-
elle quelque chose ? se demandait-elle. Par quel ache-
minement, par quelles déductions de faits, s'était-elle
trouvée détentrice de ce secret ? " Et tout haut:

— S'il est vrai que tout était décidé par Yallah,
pourquoi la morale ? Pourquoi exalter le bien et flé-
trir le mal : ses principes servent-ils à quelque

chose ? D'ailleurs, je ne sais pas très bien ce que tu veux dire.

Ceci dit d'un ton maîtrisé, Ngoné War Thiandum leva son front. Le sourire qu'elle imposait à sa figure était trahi par la rigidité cohérente de ses traits, et à ses cils se suspendaient la lassitude et l'entêtement. Gnagna Guissé soutenait le regard de la mère; ses yeux étaient prisonniers de son attention. A son retour, la griote différa la réponse crue qu'elle avait tapie dans sa gorge. Elle dit :

— Je parle de l'état de Khar. Crois-tu que c'est souhaitable à ton âge de porter ce calvaire ? Non !... Vrai aussi aucune mère n'aime et n'aimerait cela. Mais la chose est là...

— Et il faut s'en accommoder ? l'interrompit Ngoné War Thiandum. Après une seconde de pause : Que dit-on dans le village ?

— On parle, un peu ici, un peu là. Certes, les langues se délient et s'en délectent, se demandent encore qui est le père. Aussi, cela passera et se tassera. Et toi, tu es là à ronger, sucer ton sang.

— Gnagna, ponctua la mère, les palpitations de son cou redoublèrent ; Gnagna, on ne raconte pas seulement cela. Cesse de me mentir...

— Quoi, je te mens, moi ?

— Non. Non. Ce n'est pas ce que je voulais dire.

— Quoi donc ?

Ngoné War Thiandum était en proie à un mélange de désespoir, de rage, qui lui faisait, en parlant, sauter le cœur de la poitrine. " Je suis en feu, tout en feu ", se parlait-elle. Elle ne voulait plus qu'on l'endorme. Elle reprit :

— Les gens observent, commentent, médisent. Regarde, Tanor (son fils aîné, ancien d'Indochine et du Maghreb), il est le jouet des gosses, parce qu'il n'a plus son raisonnement. En un sens, c'est mieux pour

lui, maintenant. Il ne souffre pas — moralement, je
veux dire. Or il est le meilleur né de toute sa génération. Et tu te souviens de lui... de son retour du
service militaire. C'était toi qui l'avais *lallal*[1].

— Je me souviens encore.

— J'attendais un homme !... Ce fut moins qu'un
homme que j'ai reçu : une loque. J'étais fière lorsqu'il nous quitta, et inquiète aussi. Il me revient
fou. Le courage n'est pas d'envahir autrui, mais de
faire face à l'indignité chez soi. Maudits soient la
guerre et l'esprit de rang. La guerre me prive d'un
fils pour laver un déshonneur, et l'esprit de rang me
broie.

— N'oublie pas que je suis ta griote. Mais cesse
de sucer ton sang. Ton mari s'en occupera. Les hommes ne s'ouvrent pas aux femmes, agissent, et nous
mettent devant le fait accompli.

— C'est le cas de le dire. Ce matin d'aujourd'hui,
j'ai fini mon aïyé.

— Je comprends, laissa tomber Gnagna Guissé.

— Tu ne comprends rien. Rien de rien, tonna la
mère avec vivacité, en faisant une pause.

Les muscles de son visage étaient tendus. Son front
se plissa ; pendant que l'incompréhension, le duel
intérieur étalaient leur empire. De même sa lèvre inférieure, tatouée, d'un coin se tordait. Les prunelles,
mangées par les épais ourlets de ses paupières d'un
noir de pierre de Djenné, se rivaient sur la bouche
de Gnagna Guissé. Déçue, Ngoné War Thiandum
remonta son regard irascible et ses yeux flambaient
d'un éclat fiévreux dans ceux de la griote. C'était
sûr !... Sûr : l'amie, la confidente de naguère, ne la
comprenait pas. La griote, effacée, se jouait d'elle.

---

(1) *Lallal:* chez les Wolofs, les Sérères, les Mandès on
accueille l'hôte en étalant les plus beaux pagnes sous ses
pieds.

Elle n'avait plus confiance en la griote. Elle dit à nouveau :

— Tu ne comprends rien. Rien de rien. Je te demande, qui accuse-t-on d'être le père du petit qui doit naître ?

— Qui ?... Cela ne se demande pas. Tout le monde sait que c'est le *navétanekat* (paysan se louant pendant le navet : hivernage).

Ngoné War Thiandum porta ses paumes sur la figure et, à haute voix, implora la miséricorde de Yallah. Elle s'était trouvée sans parole, asphyxiée de douleur. Lorsqu'elle retira ses mains, ses joues gardaient les traces humides des doigts. Un voile d'obstination cerna l'œil où brillait le désappointement.

— Gnagna, la vérité ! Rien que la vérité vraie. Tu sais pertinemment que les gens ne disent pas la vérité. Si ce que tu dis est vrai, les gens se nourrissent de menteries. Le navétanekat n'en est pas l'auteur. Et ne dis pas que tu n'y as jamais pensé. Car le navétanekat est venu voir ton mari, Déthyè Law. Moi-même, il est venu me voir et a juré que ce n'était pas lui.

— Est-ce que tu accorderais plus de crédit aux paroles de ce type de rien qu'à ton guévéli-diudu ? opina Gnagna Guissé redressant son menton.

Ensemble, elles avaient vu la fuite des ans ; c'était cette inclination de compagnes de même âge, parfois plus solide que les liens de sang, que Gnagna Guissé tentait de ressusciter, mais dans le ton et le regard, elle se heurtait à la fermeté de la mère.

— Je t'écoute, fit Ngoné War Thiandum agressive. De minuscules points blancs brillaient dans ses yeux.

— Je ne comprends pas ce que tu veux dire.

— Tu le sais, Gnagna ! Tu le sais. Devant Yallah, je pense que tu le sais.

— Je ne sais rien.

— Et tu ne soupçonnes personne ? Personne ?...

O prude amitié ! Couche agréable sur le corps blessé de la franchise. O yeux du savoir, bouche qui refuse de blesser.

— Non, je te dis.

— C'est un péché de mentir. Inamical de me mentir.

A nouveau, elles se firent face. Chacune lisait dans l'eau des pupilles de l'autre, y voyait son image. Le feu de l'empressement à obtenir la réponse à sa question, faisait frissonner quelque peu la lèvre de la mère ; par saccades, sa respiration se précipitait. Elle poursuivait :

— Quand tu as questionné Khar (sa fille), elle n'a jamais dit que c'était le navétanekat. Non plus, elle n'a prononcé un nom. Son frère (Tanor) l'a battue à lui arracher la peau, elle n'a rien dit. Le navétanekat a été chassé du village, son champ confisqué. Un très beau champ. A lui seul, le navétanekat était arrivé à bout des épineux. Ce champ abandonné de tous à cause des épineux. Nous avons profité de son travail — je veux dire tout Ndiobène. Moi-même je l'accusais. J'étais contente de savoir ce qui lui arrivait. Et, pendant ce temps, moi, je partageais avec lui, Guibril Guedj Diob, mon mari, ma couche. Pendant des semaines, je l'ai vu appeler Khar, parler avec Khar. Devant moi, ils partageaient le plat commun. Oh !... Ils ne s'entretenaient que de rapports père-fille. Pendant neuf mois, trompée — par qui ? avec qui ? — moi, épouse, mère, je vivais avec eux. J'ai tout fait, rampé, pleuré, promis tout à Khar, tout, afin de savoir qui est le père de son enfant. Avec le temps j'aurais oublié; les gens aussi auraient oublié. Mais comment oublier, à Santhiu-Niaye, que Guibril Guedj Diob, père de Khar Madiagua Diob,

est un incestueux ? Lui, le chef du village, lui, le
plus noble descendant des plus illustres familles du
Niaye ? D'un griot, d'un cordonnier, d'un bijoutier,
on aurait compris. Oh!... pardonne-moi, c'est pas
pour toi. Tu es des plus nobles griotes.

Ngoné War Thiandum marqua un temps d'arrêt.
Les inflexions de ton qu'elle adoucissait, arrondissait,
les pauses qu'elle s'accordait entre deux phrases, tra-
hissaient sa colère.

Gnagna Guissé ne s'attarda pas à démêler les res-
ponsabilités. Elle savait l'orgueil des Thiandum-
Thiandum, leur fierté sans borne, l'absurde prix
qu'ils attachaient à leur naissance, et qu'ils impo-
saient à toute la communauté. N'est-ce pas vrai qu'un
de ses oncles qui avait été giflé par un *toubab* (Européen) en public, après avoir abattu le toubab, s'était
fait justice ? Leur devise est : " Plutôt mourir mille
fois de mille manières plus affreuses l'une que
l'autre, que de supporter un jour un affront." Depuis
les temps les plus reculés, ce même clan occupait
dans les assises des palabres les fonctions les plus
enviées. Elle-même, Gnagna Guissé, était fière d'être
leur griote généalogique. Devinant la rage de la détresse de son guelewar, elle pensait qu'à grands ren-
forts de paroles consolatrices, elle atteindrait son but :
l'attendrir.

Ngoné War Thiandum, haletante, se mit à invec-
tiver les hommes, la vie et acheva qu'au jour du juge-
ment dernier, elle aurait des choses à dire.

— Je...

— Tu le savais, n'est-ce pas ? lui arracha Ngoné
War Thiandum.

Elle la scrutait sans ménagement, le regard métallique et pénétrant, traquant les pensées intimes de
la griote. Elle reprit:

— Tu le savais. Combien sont à le savoir ? Je

sais tout ce qui se dit au puits. Quelle honte pour
moi et les miens !

De l'autre côté de l'écran de la palissade, s'entendait la voix de Guibril Guedj Diob, son mari. Ngoné
War Thiandum cessa de parler. La tête relevée, les
yeux erraient, absents. Elle n'essayait pas de s'éva-
der de son drame. Elle s'y campait et ne sollicitait
pas de sentiments de compassion.

Toutes deux, écoutant Guibril Guedj Diob, se dévisageaient.

— Il faut que tu manges. Je vais m'en occuper.
Tu es mon guelewar, dit Gnagna Guissé en se levant.

La mère promptement lui saisit le poignet :

— Tu le savais ?

Gnagna Guissé acquiesça de la tête en s'éloignant.

Seule, Ngoné War Thiandum explorait les péripéties de l'histoire; les différentes étapes de doute, de
tête-à-tête avec sa fille, surgissaient.

— C'est vrai que tu portes ? avait-elle questionné
Khar lorsqu'elle était venue dans sa case.

Khar Madiagua Diob avait détourné ses yeux. Le
regard inquisiteur de la mère se portait sur chacun de
ses pores. La tête dodelinant, la mère ne vit pas les
brèves pulsations en dessus du cou. La zone tachée
de sombre ne s'était pas livrée.

— Dis !

— Je ne suis pas enceinte, mère, avait répondu
Khar et prétextant ses travaux ménagers, elle s'était
esquivée.

Ngoné War Thiandum avait cru sa fille.

Au fil des jours, des semaines, avec la persistance
des cancans à l'endroit de Khar, elle s'était alarmée;
elle commençait à l'épier, la démarche, les mouvements des membres, la figure, l'accent. Elle avait fini
par en être convaincue. C'était sûr!... Le nombre de
pagnes n'y pouvait rien. Les reins davantage s'ap-

profondissaient. Le ventre prenait forme, la poitrine
s'enflait. Khar Madiagua Diob avait à maintes reprises surpris le regard de sa mère qui l'examinait.

Et cet après-midi-là, Khar Madiagua Diob allait
dépasser sa mère, quand, prompte, la mère enfonça
sa main sur les flancs, défit le nœud du premier
pagne, le deuxième et le troisième : les pagnes
gisaient aux pieds de la fille. Khar Madiagua Diob
n'eut pas le temps de dissimuler.

— Ne rentre pas ton ventre. Si c'est à cause de
moi, ceci ne sert plus à rien. Tu es pleine comme
une ânesse, avait dit la mère.

Pourtant, elle continuait à palper avec autorité le
ventre :

— C'est pas possible! Tu n'as pas de mari. Tu es
vraiment enceinte, formulait-elle.

*O tendresse maternelle ! Bonté infinie, combien de
victimes as-tu faites ?*

La mère et la fille se dévisageaient; les larmes,
naturellement, débordèrent des fentes des yeux de sa
fille qui se sauva, laissant les pagnes.

Ngoné War Thiandum n'avait su que faire, que
dire. Ses pensées d'un débit rapide se pressaient en
tous sens. Elle était atteinte dans son aspiration de
mère : rêves perdus ! Espoirs déçus ! N'avait-elle pas
rêvé de conduire sa fille vierge jusqu'au seuil de
chez son mari ? N'avait-elle pas joui d'avance du
jour où elle exhiberait le pagne immaculé de sa
fille, exposerait les bijoux qu'elle tenait de sa mère
et les remettrait en public à Khar ; ces bijoux, orgueil et maillon des liens qui liaient toute cette branche maternelle. N'avait-elle pas caressé la douce sensation d'être la mère qui doterait le mieux sa fille,
de célébrer un mariage qui resterait à jamais dans
les annales ?

Ce monologue, vif, agressif pour elle-même se dé-

roulait quand l'évidence empoignait ses nerfs. Ngoné
War Thiandum, malgré elle, s'était faite à la grossesse de sa fille. Elle avait entrepris la seconde étape,
qui était de trouver, de savoir qui était l'auteur de
ce forfait éhonté. Elle s'y était employée de différentes façons, prévenante, agréable, volcanique. Toutes ces compositions eurent pour effet de lui rendre
plus cuisant son échec, et lui laisser la désagréable
impression du refus catégorique de sa fille d'en dire
plus que n'étalait la proéminence de sa rondeur :
mieux, à certaines heures, Khar Madiagua Diob, avec
effronterie, poussait des reins.

Ngoné War Thiandum s'en ouvrit à son mari :

— Guedj, sais-tu ce qui se passe dans ta maison ?

— Je t'écoute.

— Regarde autour de toi.

— De grâce! avait imploré Guibril Guedj Diob.

— Tout le monde dit que ta fille, Khar Madiagua
Diob, est enceinte.

— Chaque semaine, les langues engrossent une
fille de Santhiu-Niaye.

Ceci lancé, Guibril Guedj Diob se retira.

L'état de la fille s'ébruitait : les soupçons se por-
tèrent sur le navétanekat. Plusieurs fois, Ngoné War
Thiandum allait voir le jeune homme. Lui aussi ne
variait pas ses réponses.

— Mère Ngoné, je vous jure que c'est pas moi.

— Qui est-ce alors ?

— Khar seule peut le dire.

Ngoné War Thiandum n'avait d'autre issue que
de s'entretenir à nouveau avec son mari de ce sujet.
Elle le fit dans les règles de politesse voulues :
attendre la complète nuit, quand aucune oreille indis-
crète n'était à l'affût.

— Sais-tu, Guedj, que Khar est femme. Elle l'est
depuis le *barahlu* (huitième mois du calendrier volof).

J'ai beau lui demander, elle se refuse à répondre.

— Si tu surveillais mieux ta fille, rien ne serait arrivé. Elle accouchera... Enfin, demain, inchallah, je lui parlerai, répondit-il, en lui donnant le dos.

Les jours qui suivirent, Ngoné War Thiandium se trouva comme au début, face à la ferme volonté de silence de sa fille. L'état de Khar Madiagua Diob alimentait la chronique de Santhiu-Niaye. Les langues qui, pendant le navet, manquaient de pâture, se délectaient.

— " On l'avait vue avec le navétanekat. "

— " Pourquoi lui donnait-elle de l'eau jusque dans le champ ? "

— " N'est-ce pas elle qui lavait ses haillons ? "

Et les vieilles :

— " Une fille bien née avec un domestique de son père. "

De bouche à oreille, c'est au peinthieu que, rudement, on discutait du cas.

L'aîné de Ndiobène, Tanor Ngoné Diob, qui, pendant ces jours-là, était lucide, en fut vexé. Il s'entretint avec sa mère.

Le soleil du jour vieillissait; les rayons du ndjiolor s'émoussaient. Le niaye à l'infini embrassait le ciel ; cette étendue, meublée de lopins de terre cultivée, semblait ennuyeuse, sans passion, morne, triste. Les tourtereaux cendrés jetaient leurs notes languissantes.

Tanor Ngoné Diob, en militaire — une vieille tenue qui lui avait été léguée par les bons offices de l'armée coloniale française — , suivait le sentier d'entre les dunes, en montait, en descendait, évitant les fragiles buissons de vradj.

Un chien galeux aux longues oreilles blessées où des essaims de mouches tournoyaient le reçut avec des aboiements craintifs.

Atoumane — le navétanekat — averti de la présence, venait à sa rencontre.

— Paix seulement, répondit Atoumane. (C'était sa journée hebdomadaire : jour de campos où il était libre de travailler son propre champ).

— Combien as-tu ensemencé de grains ?

Tous deux promenèrent leur regard, mesurant l'aire cultivée. La fierté et l'orgueil faisaient battre le cœur du navétanekat.

— Juste ce que m'a prêté ton père.

— J'avais quelque chose à te demander. As-tu fini pour aujourd'hui ?

Averti par son intuition, le navétanekat garda ses distances, mais intérieurement. Lui aussi savait que l'aîné du *ndiatigui* (maître de maison) n'avait pas toute sa raison.

— Je rentrais justement, dit le navétanekat.

D'un sifflement sec, Atoumane appela le chien. Marchant après le fils du ndiatigui, il vit celui-ci traîner volontairement ses godasses sur les arachidiers. Il eut envie de lui dire : " Patron, regarde où tu poses les pieds." Il se retint avec de cruels pincements au cœur.

— Sais-tu pourquoi je suis ici ? interrogea Tanor Ngoné Diob un peu plus loin.

— Non, ndiatigui, non.

— C'est vrai ? Tu ne le sais pas ?

— Comment pourrais-je le savoir si tu ne me dis rien, ndiatigui ? Mais on peut parler au village.

— *Ti mé prends pour in maboul*, dit Tanor, en français.

L'autre écarquilla les yeux.

Tanor Ngoné Diob garda un temps le silence.

Par-dessus leur tête, volait une escadrille d'oiseaux en direction du couchant.

— Khar vient te voir ?

— Moi?... Une ou deux fois, en effet. Elle se

rendait au petit champ. Lui est-il arrivé un malheur ?

— Ahan !

— Lahilah illalah ! s'exclama le navétanekat sans se départir de sa réserve.

— Tu as couché avec ?

— Jamais.

— Tu l'as enceintée, salaud.

— C'est pas vrai.

Tanor Ngoné Diob bondit sur lui. Atoumane sauta et une poursuite commença à travers le champ. Tout en courant, Atoumane criait :

— C'est pas moi ! C'est pas moi !

Le chien suivait avec ses aboiements.

Tanor Ngoné Diob essoufflé s'arrêta en prononçant des insultes. Tout en parlant, il piétinait les plantes, grommelant : "C'est ainsi dans les rizières. " Une fureur bestiale masquait son visage, et pétillait une lueur d'insatisfaction dans son regard.

Atoumane en vitesse alla quérir de l'aide pour le déloger de son champ.

Accompagné des gens du village, et de Medoune Diob, l'oncle de Tanor Ngoné Diob, il retrouva sur une grande surface le piétinement de Tanor.

— C'est lui, le salaud. Il a trompé Khar, disait Tanor à l'approche des gens.

Atoumane eut encore le temps de s'esquiver, l'oncle de Tanor, Medoune Diob le menaçait à son tour : on le talonnait. Toute la nuit, on le chercha, et des jours et des nuits suivants. Plus personne ne le vit à Santhui-Niaye : il ne resta que son chien galeux.

Après ceci, Tanor Ngoné Diob avait administré une correction à sa sœur Khar afin qu'elle parlât. Khar Madiagua Diob avait gardé le silence.

— Quant l'enfant sera au monde, on verra à qui il ressemble, disait-on en signe de découragement

D'autres d'une ironie cinglante répliquaient :

— Vah ! quand on fréquente le même endroit, il y a une forte chance pour que les enfants se ressemblent.

Opiniâtre, Ngoné War Thiandum ne se jugea pas satisfaite de cet atavisme. Elle fit semblant d'accepter ce fruit comme le produit de liens normaux. Vis-à-vis de sa fille, elle se montra préventive. Dans les conversations, le naturel reprenait avec entrain. Elle disait à fleur de lèvres :

— Atté Yallah-la — C'était la volonté de Yallah.

Pourtant se dressait, velléitaire, son désir de pénétrer le secret. Hier, avec la peur de percer les préceptes, n'osant pas poser de questions, suspecter, — par une saine et curieuse pensée, présentement, elle était avide de savoir, elle faisait fi des recommandations. Penser était aussi le lot des hommes. Cette iniquité l'exaspérait. Emondée de tout esprit de critique, d'analyse, elle se révoltait contre l'ordre établi avant sa naissance. Cette mer de colère qui sourdait, mugissait en elle, éveillait, aiguisait sa conscience de frustration et remettait toutes les valeurs morales en question et à nu.

Insidieusement, discrète, tâtonnante, elle interrogeait à côté, progressait avec lenteur, jusqu'au jour où Khar Madiagua Diob sans se rendre compte révéla :

— C'est mon père.

Ngoné War Thiandum, cette nuit-là — comme celles qui allaient suivre — ne ferma pas l'œil. Elle trouva superflu de gendarmer, même de frapper sa fille. La responsabilité de l'acte se trouvait déplacée, hissée à un autre niveau. " Comment cela s'était-il produit ? " se demandait-elle. " Comment le sang noble qui depuis des siècles coule dans les veines de Guibril Guedj Diob n'a-t-il pas crié ? Ne l'a-t-il pas étouffé avec cette infamie ? Avait-il oublié ses ascendants ? Salir leurs noms respectables! Et les gens ? qu'est-ce qu'ils vont dire ? Ce n'est pas vrai!... C'est à cause de cela, oui, à cause de cela que lorsque je lui en parlais, il me rabrouait. " Sans fin ce monologue revenait. N'avait-elle pas été docile ? soumise ? bonne épouse ? n'avait-elle pas surveillé de près la conduite de son mari ? Ces questions en appelaient d'autres. " Et maintenant que disent les tenants de la morale ? " Avait-il eu le consentement de Khar ? Elle ne pouvait croire ou accepter que leur rapport n'ait eu lieu qu'une fois, une seule fois. Où?... Ici?... Dans la maison ? Dans le niaye ? Etouffant d'impuissance elle accusait tout le monde; telle figure avenante, telle voix onctueuse, telle naissance, tel habit d'apparat. Tout ce qui lui paraissait haut, de grande valeur morale, n'était que dorure; chacun se revêtait d'un attribut moral pour mieux gruger, tromper son prochain; tel homme à la piété légendaire s'en couvrait pour mieux accomplir une libidineuse activité, innommable.

— Cours chercher Gnagna Guissé, cria derrière la palissade la deuxième épouse à une fillette.

Entre les lattes Ngoné War Thiandum glissa son regard; la porte où était en couches sa fille était à moitié ouverte.

— Va vite !

— Mère, la voici, dit la fillette qui prenait son élan.

— Khar a crié. Je l'ai entendue, dit la deuxième épouse à Gnagna Guissé qui arrivait, une calebasse moyenne en équilibre sur la tête.

— J'arrive, dit la griote en se dirigeant vers la case de son guélewar.

Ngoné War Thiandum la suivait.

Le Loli (4ᵉ saison du calendrier volof), et le
Thorone (1ʳᵉ saison du calendrier volof) libéraient
les hommes et les femmes des durs travaux cham-
pêtres. A Santhiu-Niaye, c'étaient de longues, unifor-
mes, ennuyeuses journées. Après la première prière
du soleil levant quelques hommes retournaient chez
eux, d'autres erraient dans le niaye.

Le yoryor, alourdis de la fatigue de l'inaction, l'ennui au cœur, le chapelet à la main, ils revenaient
prendre place sous le beintanier où œuvrait le
cordonnier-griot, Déthyè Law. Les monotones journées d'oisiveté favorisaient toutes sortes de digres-
sions. Les palabres en suspens d'il y a un navet,
deux navets, voire trois, se repalabraient. Ces inter-
minables parlotes animaient ce temps mort. L'arrivée du commandant de cercle avait été annoncée
et était prévue pour après-demain... peut-être. A l'entrée du village, on s'affairait à dresser un arc de
triomphe en palmes. Les travaux avaient été lais-
sés aux plus jeunes.

Ce yoryor-là, comme à l'habitude, Baye Yamar arriva le premier sous l'arbre. Déthyè Law, les jambes croisées, le salua. Ils s'étaient déjà vus à la
prière de Fadjar (aube). Baye Yamar, la tête
sous sa chéchia rouge d'ancien tirailleur sénégalais,

par deux balancements de tête, de haut en bas, répondit au cordonnier, exhibant son chapelet : " Je suis occupé ", disait son regard ombragé par des arcades sourcilières poilues. Arrangeant son grand boubou teint en vieil indigo bleu clair, il prit place sur la racine qui sortait du sol.

Le cordonnier-griot chantonnait.

Les minutes défilèrent.

— Je viens de l'autre côté de l'étang aux roseaux. J'ai rapporté une maigre botte de paille, dit Gornaru qui de deux mouvements des pieds, se libéra de ses samaras pour s'asseoir à même le sol, après les civilités matinales. Il poursuit : Aussi, j'ai été jusqu'à la route... celle qu'on trace. J'ai entendu dire par les ouvriers que la route va traverser tout le niaye.

— As-tu remarqué l'épaisseur de la rosée ? questionna Déthyè Law levant son visage grillé avec les fortes entailles qui cerclaient sa bouche, évasant son nez. L'ombre du beintanier accentuait sa noirceur.

— Ahan! J'ai même entendu l'appel de l'oiseau hivernal.

— Moi aussi. J'avais en l'entendant des appréhensions. J'ai même questionné ma femme. D'habitude, elle est la première à me le dire. Mais il semble que cette année tout est sens dessus dessous.

— Ahan!... les choses ne sont plus comme avant. Pourtant le soleil se lève à l'est et se couche à l'ouest. Qu'est-ce qui a changé ?

Le ton de Gornaru était lourd. Il avait le visage osseux d'où émergeaient ses pommettes en tiges, la peau écaillée. Sur toute cette partie du visage, la peau était racornie. Ses yeux étaient d'un rouge piment du niaye. Assis en tailleur, les avant-bras sur les genoux, les mains libres, il se distrayait avec le sable, le transvasant d'une paume dans l'autre.

— J'ai entendu dire que la route va traverser le niaye, répéta-t-il comme une confidence mal entendue. Ceux de Keur-Malamine doivent s'approcher de la route. Il est question de ça. Peut-être c'est pour cela que le toubab-commandant doit venir.

Déthyè Law, la bouche pleine d'eau, aspergea un morceau de cuir; le malaxa entre ses mains. Il dit à son tour, la lèvre inférieure humide :

— Je ne sais pas pourquoi il vient le toubab-commandant. Il paraît que les autos s'arrêtent maintenant à Keur-Moussa. Ils ont même deux boutiques, où on trouve tout. Avant ils étaient moins nombreux que nous, ici. Du niaye d'autres familles sont venues se grouper avec eux. Nous devons y penser... Ici, il n'y a rien.

— Nous joindre à eux ? Personne ici ne voudra. Nous devons aller de notre côté, opina Gornaru changeant de sujet : J'ai traversé le champ de Massar. J'ai vu des fourmis en quantité y élire domicile. Je pense pas que quelqu'un lui ait jeté un sort. D'ailleurs, je ne saurais pourquoi ?

— Tu insinues quoi, Gornaru ? interrogea Baye Yamar qui avait fini son chapelet et s'en frottait la figure. Précautionneux, il le remit dans son unique poche de poitrine, et des doigts, vérifia les coutures. Il dit ensuite : Personne à ma connaissance n'a sollicité cette année encore ce champ. La lisière fait l'objet d'un litige depuis deux navets. Il faudrait qu'on en finisse.

— Baye Yamar, tu prêtes à mes paroles des intentions autres.

— J'ai entendu, Gornaru.

— Tu as mal entendu, si je peux me le permettre, tout en te demandant pardon et devant Yallah et devant Déthyè Law.

— Je te demande pardon, alors.

— Soit!... Que Yallah nous pardonne, tous.

— Amine!... Amine, répéta Baye Yamar.

— Je ne t'ai pas vu ce fadjar, dit Déthyè à Gornaru déviant le sujet sachant trop où s'achevait cette effusion de bons sentiments. Lorsqu'une causerie s'amorçait sur ce ton, le mutisme qui suivait était solide, long et chacun ruminait son mécontentement. Il veillait à cela, en redonnant du levain aux causeries. Il gardait le silence quand les débats étaient vivants. Déthyè Law était de caste inférieure. Griot d'essence, cordonnier de métier. La nature hors de nos estimations ou considérations établit elle aussi sa hiérarchie. Déthyè Law était le bilal de la mosquée armé d'une des plus belles voix pour l'appel à la prière. Son langage libre de diambur-diambur acerbe, faisait de lui le plus redoutable frondeur. Conscient de son rang de griot, il disait ce que les autres n'osaient pas dire, il était le confident de tous.

— Néanmoins, j'ai entendu ton node du fadjar. Juste je sortais du village, répondit Gornaru qui s'était retourné.

De l'autre côté du peinthieu quelqu'un sur un âne passait. Il fronça ses sourcils et demanda :

— Qui est là-bas, sur l'âne ?

— Déjà tu ne vois plus ? C'est Amath !... Je reconnais sa façon d'être à califourchon, dit Baye Yamar avec orgueil dans la voix. Pourtant, je suis plus âgé que toi.

— Vrai, nous abandonne-t-il ? demanda Gornaru son cadet de huit ans, au moins quinquagénaire.

— Il le dit.

— Et qui s'occupera de sa maison, de ses ânes, de ses champs ?

— Il fera comme tous ceux qui sont partis. Voilà Badièye !

Gornaru regarda dans la direction indiquée et reconnut son éternel adversaire au *yathé* (jeu de dames volof). Pivotant sur son séant, il amassa des bâtonnets.

— Etes-vous en paix, les braves ? s'annonçait Badièye avec sa mine de garçon au regard innocent. A son tour il ramassait des crottins secs d'âne ou tout autre objet en boule, tout en parlant : Déthyè Law, n'as-tu pas vu passer Latyr ? C'est aujourd'hui qu'il doit revenir de la ville.

— Je l'avais oublié celui-là. Voilà deux semaines qu'il est parti.

— En effet! Il doit être là pour l'arrivée du toubab. A moins qu'en ville, il ait trouvé chaussure à son pied. Les vieilles en ville se conservent bien, dit-on. Lui aussi un jour prochain s'en ira pour ne plus revenir, dit Badièye les mains pleines.

— Peut-être, répliqua Déthyè Law sceptique.

— *Eskeiye !* s'exclama Badièye en s'installant face à Gornaru. Ainsi meurt Santhiu-Niaye ! Ét Amath, quand part-il ?

— Qui sait ? On dit ce lundi, répondit Gornaru. Il ne sera pas là quand arrivera le toubab-commandant.

— Ce lundi ? Il ne veut pas payer l'impôt.

— Le malin.

— Tu te réveilles un matin, et voilà une concession vide. Avant la case-maîtresse, le sahhe, vide, tombe le premier. Puis s'affaisse doucement, sans grincer, la toiture de la case-maîtresse. Cette case-maîtresse plus muette qu'une tombe, plus ouverte qu'un marché, seule, sans témoin, nuit après nuit se consume dans son silence d'abandon. Comme si je ne sais quoi voulait, de ses doigts invisibles, éteindre un foyer non moins invisible. Et les folles herbes y viennent, poussent d'abord là où les pieds ont peu

foulé, là où n'allaient que les nourrissons en rampant. Mais l'endroit où les grandes personnes séjounaient longtemps demeure marqué. On dirait que
l'herbe par son refus d'y grandir sanctifie ces
endroits. Le sable !... Lui, le sable, on ne sait comment, il vallonne, envahit la maison, toute la maison.
Le sable commence son œuvre par le foyer; là où
hier se concentrait, se reflétait la quiétude de la famille, où les femmes et les enfants, sans le dire,
jetaient un regard furtif, la paix dans l'âme, l'espoir dans les yeux. Et justement, c'est là, là, pas
ailleurs, que le sable s'amasse en premier. Puis, il
gagne le lit, le dessous du lit et s'élève.

Déthyè Law avait débité cela d'un ton pathétique,
avec cette pudeur retenue des personnes accoutumées à de longs soliloques et qui, trouvant l'occasion de s'extérioriser, en usent comme un comédien
en mal de public. Les autres avaient écouté, sentant
à chaque phrase du cordonnier-griot leur propre
angoisse devant cette désertion qui se répétait. Ils
auraient voulu dire, exprimer leurs observations, les
pincements au cœur qu'ils éprouvaient à chaque
fois que l'un d'eux s'en allait. Mais il leur manquait
ce verbe. Oui!... La longue servitude broie l'homme,
lui ravit l'usage aristocratique de la parole dont la
dorure dans d'autres pays a fait une langue de gens
racés. Quant aux yeux — les yeux qui au jour le
jour lisaient la désagrégation — ils savaient parler
davantage. Ce silence riche en paroles inexprimées,
liait leur cœur. Tacites, ils laissaient passer les minutes.

Gornaru brisa le silence, tout en creusant des
cases sur le sable pour le jeu :

— Ici, les autorités ne feront rien, rien pour nous.
Rien que nous sucer comme des chiques. Le toubab-
commandant vient seulement pour l'impôt.

— Qui parle ici des autorités ? ponctua Baye
Yamar, les lèvres pincées. La flamme méprisante à
l'endroit des autorités scintillait dans ses prunelles
— sentiment qu'ils partageaient tous. Moi avec ma
famille, nous ne partirons jamais de Santhiu-Niaye,
acheva-t-il de dire avec la sécheresse de ton. Le
défi stagnait dans son regard.

La conversation générale tomba.

Le yothè débuta.

— Enfoncer jusqu'à toucher l'os de l'échine,
apostropha Badièye.

— Dégainer, la lame enduite de sang, renchérit
Gornaru.

— Hommes, je vous salue, s'annonça Yaye Khurédia en se délestant de son panier. La flétrissure
de sa peau rendait son âge indéfinissable. Sous la
vieille camisole en cotonnade, il semblait que sa
peau était lâche sur la charpente d'os. Sous le
beintainier, elle tenait marché de différentes denrées
tous les matins. Maniaque, superstitieuse, elle récitait
des incantations pour rendre sa journée bonne.

— Méfie-toi, Khurédia, de l'épine centrale des
figues de Barbarie, de ces fruits d'enfer, la taquinait
Badièye.

— Fruits d'enfer ? Peut-être. Je vis de ces fruits
avec ma famille. Yallah les a fait pousser à profu-
sion et pourquoi ?

— Pour les pauvres ! C'est l'œuvre du *saytane*
(satan) pour tenter les pauvres.

— Ne me fais pas dire, Badièye, à mon âge ce que
je ne veux pas dire et n'ai jamais dit quand
j'étais jeune.

— Quand tu étais jeune… hi ! hi ! hi !… J'étais
déjà homme. Tu t'en souviens ? Enfin passons !…
N'as-tu pas vu sur ton chemin Latyr ?

— De mon front ? Non... Aurait-il pris un autre
sentier ?

— Je ne saurais te le dire.

— Il faut se méfier des rencontres malveillantes.

— Que veux-tu dire Badièye ? A ton âge n'as-tu
pas honte ?

Assise derrière son étalage, elle prêtait l'oreille
aux commentaires discourtois des *yothékat* (joueurs
de yothè). Et à chaque ponctuation verte, elle bou-
geait la tête.

— Tu es la première levée ce matin ? lui demanda
Déthyè.

— Non. A peine avais-je entamé le deuxième
coude du sentier des deux rôniers que je vois Tanor
Ngoné Diob, prodigue en gestes, seul au sommet de
cette colline. Même ce tantôt, je l'ai vu avec des
feuilles de palmier. Il se dirigeait vers ici.

— Tanor Ngoné Diob !... *Diobe duide demone tol
fate fa duibame* fils de Guibril Guedj Diob et de
Ngoné War Thiandum, vocalisa Badièye en bro-
dant sur cette strophe toute la généalogie de l'ancien
soldat d'Indochine et du Maghreb et finissant : Je
ne sais quelle manie pousse un aveugle à se divertir
à sauter d'un bord à l'autre d'un puits.

— Tanor Ngoné est un ancien combattant. Il a fait
l'Indochine, le Maroc et l'Algérie. Il sait comment
on doit recevoir le toubab-commandant. Tiens, dis-
moi qu'est-ce que ces fruits toujours pendus et jamais
mûrs ?

Les deux yothékat partirent d'un éclat de rire.

— *Astafourlah !* prononçait Yaye Khurédia.

Le soleil inondait la place. Le sable blanc miroitait,
contraignait les yeux. On pinçait au minimum ses
paupières pour percer l'effluve de la vapeur qui montait du sol.

O ! près de ma b'onde qu'i fait bo
Bo' bo' bo' bo' dormir

Avec ce refrain apparut à l'autre extrémité Tanor
Ngoné Diob, chantant à tue-tête, venant d'où se dressait l'arc de triomphe pour recevoir le toubab-commandant. Une nuée de bambins trottait dans son sil-
lage. Sur ses cheveux crépus, sales, il portait la cas-
quette des soldats du corps expéditionnaire français,
était vêtu de la tenue de parachutiste, en léopard, les
pieds dans des brodequins sans lacets et sans chaus-
settes; sur la ceinture, un couteau de para pendait.

A la hauteur des anciens, il claqua ses talons, s'accompagnant d'un salut militaire.

— *Repos assidant* (Repos adjudant), commanda
Déthyè.

D'un demi-tour, Tanor Ngoné Diob s'adressa aux
soldats (invisibles) :

— Répozé é éz ar r rmes!...Rom m m pé é éz.

Et d'une allure badine, il se dirigea vers le cordonnier.

— As-tu bien dormi ?

— J'étais de garde, répondit l'ancien militaire. Il
y avait de partout des Viets, dit-il encore empoignant
le manche du couteau. Son regard roulait à droite
à gauche, puis il cessa ses mimiques en fixant la
marchande :

— Je t'ai vue ce matin deux fois. Tu rôdes autour
de moi.

Tremblante, elle se rapetissait, rentrait son cou.
Mû par un pressentiment, un frisson froid lui courait dans le dos. Déthyè Law lui lançait des œil-
lades ayant l'air de dire :

— Il n'est pas méchant. Ne lui réponds pas.

— Vieille chipie ! Poisson sec ! Fer rouillé ! Puits

sans eau ! Diablesse!... Je te vois !... ya! ya! â â â
s'égosillait-il les dents menaçantes.

Yaye Khurédia pusillanime se leva pour s'éloigner;
Tanor Ngoné Diob armé d'une poignée de sable
commanda :

— Ba'tirie!... Feu !...

Son ricanement de dément imposait le silence; on
s'attroupait à distance et on rigolait.

— Rentrez chez vous, disait Déthyè Law pour
éloigner les gens. Repose-toi, Tanor! Il fait chaud.

— *Dul* (Merde) ! Mors ta charogne de peau !...
Peau de fesse !... Fesse d'âne ! L'âne est mort! Mort
les pets son finis.

Des gammes diverses de rires fusèrent.

Tanor Ngoné Diob, heureux de briller, exécuta des
pas de tango en chantonnant :

Li plus b'o de touss lis tangos que z'ai dansé
C'é ci lui que z'ai danzé dans ton bras.

Il arrangea sa tenue, s'étira le cou et s'inclina devant une cavalière imaginaire. Il s'effaça pour la laisser passer, le bras droit tendu, souplement plié au
coude, il serra la cavalière imaginaire et il tourna,
tourna en s'accompagnant du chant.

Puis l'humeur changea, il s'arrêta pile en hurlant :

— *Comados... Z'armes !*

Il aligna six à dix gosses :

— En â â âvant marsse!... Ing, dès; ing, dès.

En fin de rang, il suivait. Plus loin, il entonna,
faisant répéter les enfants :

O ! près de ma b'onde qu'i fait bo.

— Eskeïye Yallah ! C'est le jour des *ravanes* (gé-
nie titulaire par extension), dit Yaye Khurédia revenant prendre sa place. De la bonne graine ! Eskeïye

Yallah ! qui pouvait prévoir cela à son départ pour le service militaire ? La vie n'est rien.

— La vie n'est rien ? Elle est tout, la vie. Dis à un croyant fidèle : " Je te souhaite le paradis ". Sur l'heure, il répondra : " Amine ". Souhaite-lui la mort ! Sur l'heure, il te fuira comme il fuit la mort. Pourtant, personne ne rentrera vivant au paradis, dit Palla se dirigeant vers les yothékat. Il ajouta : Tanor s'entraîne pour recevoir le commandant. Dire qu'il abrite du sang propre ! Et maintenant...

— Et maintenant ? répéta interrogativement Déthyè.

Palla feignit d'ignorer la question.

Yaye Khurédia releva le défi.

— Pourquoi, Déthyè Law, prends-tu la défense de cette famille ? Crois-tu que toi, griot, ton fils épousera une de leurs filles ?

— Et toi, crois-tu que je donnerais moi aussi mon consentement à mon fils lorsqu'il en manifestera le désir ?

— Pourquoi alors...

— Femme, ton âge ne t'a rien appris.

— Moi, je n'y comprends rien. D'ailleurs, j'ai jamais compris, dit Palla accroupi, la tête entre les mains. Je n'ose croire à ce qu'on dit.

— Hé ! Palla, passe de l'autre côté. Ne viens pas crier à nos oreilles, lui dit Badièye qui grattait ses mollets ; ses ongles dessinaient des traînées blanchâtres sur sa peau qu'il avait craquelée.

— Vous ne faites que brailler, vous deux, répliqua Palla.

— On braille, mais c'est entre nous deux.

— Qu'est-ce qu'on dit? demanda Baye Yamar. Qu'est-ce qu'on dit, Palla ?

— Je ne le sais pas, répondit Palla.

— A celui qui refuse de voir le soleil en plein jour,

pourquoi s'évertuer à le lui montrer ? ajouta Yaye
Khurédia chassant les mouches qui envahissaient sa
marchandise.

— S'il faut que tu voies pour croire ! lança Déthyè
Law.

— Je ne comprends pas, Déthyè, que tu prennes
le parti de Ndiobène. Tu es au piment dès qu'on
parle d'eux, dit Palla s'éloignant des yothékat. Une
fois à distance, il dirigea sa figure graveleuse vers
Déthyè :

— C'est votre bêtise à tous qui me pousse à vous
répondre. Tous saviez ce qui se passe. Mais vous
n'êtes satisfaits que lorsque, tels des charognards,
vos becs visitent les viscères des autres.

— Tout ce qui est faisable est matière à com-
mentaire.

— Exception Palla, quand...

— Déthyè Law, dispense-moi de tes grossièretés,
coupa net Palla. Il sortit un vieux brûle-gueule, le
bourra. Il avait les pieds plats, les orteils crevassés
par les chiques.

— Ou de ce que tu ne veux pas entendre.

Ils se turent.

Le soleil déversait son flot de mercure.

Le " ing, dès; ing, dès " approchait.

— Section on ' alte, commanda Tanor Ngoné Diob.

La marmaille stoppa ; Tanor Ngoné Diob sortit de
sa poche des jujubes qu'il distribua aux enfants. Ils
se bousculèrent. Le visage en sueur, l'ancien soldat
s'allongea sur le sol face au cordonnier.

— Tu sues ! lui dit Déthyè Law.

—C'est pour le commandant ! Les soldats doivent
chanter le jour de l'inspection.

Au sourire du jeune homme, Déthyè Law garda
sa figure ferme.

— Je veux un gris-gris, dit Tanor Ngoné Diob, brisant le silence.

— Un gris-gris, pour quoi faire ?

En rampant, Tanor Ngoné Diob avança son corps; ses doigts touchaient un des pots disposés devant l'artisan. Un sourire muet monta jusqu'aux commissures des yeux.

Déthyè Law réitéra sa question.

La vieille Yaye Khurédia, curieuse, avança. Elle sursauta. Tanor Ngoné Diob tenait sa cheville; il la renversa de tout son long. Elle poussa des hurlements. Avant que les hommes lui vinssent en aide, l'ancien militaire la couvrait de sable tout en la conspuant. Le rire démoniaque lui entra dans l'œil. Yaye Khurédia, recouverte de sable, avait perdu son mouchoir de tête, elle vociférait des insanités.

— Quel homme déchu !

— *Macou* (Silence)! s'écria Tanor Ngoné Diob, le couteau dégainé en position de combat.

— Asseyez-vous ! Vous savez qu'il est inoffensif.

— Inoffensif, lui ? Déthyè Law, tu exagères. Tu attends qu'il fasse un malheur pour convenir comme tout le monde qu'il est...

— Palla, j'ai pas dit qu'il n'est pas dingue. Je dis qu'il est inoffensif.

— Et quand il s'est attaqué à l'iman ?

— L'iman ? C'est une autre histoire.

— Histoire pour histoire, il est dingue. Je le répète. Et je le jure devant Yallah que le jour où il touchera un de ma famille on verra ce jour-là.

— Ce jour-là, tu sauras ! As-tu vu une motte de terre se heurter à des cailloux ?

— C'est ce que tu penses ? C'est vrai que ta femme est leur griote. Une famille de tarés. Un père qui...

— Assez ! s'écria Baye Yamar avec autorité. Il

s'était redressé pour s'imposer. Sa chéchia le grandis-
sait. On dirait que vous n'êtes pas des pères de
famille. Maintenant, on ne peut pas palabrer ami-
calement. Il y a des sujets qu'il est bon même dans
sa colère de ne point entamer.

— Tout Santhiu-Niaye, plus loin même, tout le
monde sait que Khar Madiagua Diob est grosse de...

— Assez !

— Des guélewar ça !... ruminait Palla en se ras-
seyant.

Tanor Ngoné Diob rengaina son couteau.

O ! près de ma b'onde qu'i fait bo.

Avec son refrain, il reprenait le large.

A dire vrai, c'étaient de braves hommes qui
vivaient entre eux sans façon. Parfois, ils dominaient
leur irritation et les préjugés de caste. Parfois, cela
débordait.

Muets, ils le regardaient partir au loin avec sa
chanson.

Guibril Guèdj Diob avec son ombrelle en soie de
nuance gorge-de-pigeon, accompagné de son frère
cadet Medoune Diob, débouchèrent. A distance, le cri
animal de Tanor Ngoné Diob monta.

— Eskeīye Yallah ! Pauvres !

— Lequel ? questionna Gornaru.

— Tout Ndiobène, dit Palla.

— Je vous salue, assemblée, dit Medoune Diob
en prenant place près de Baye Yamar. Est-ce que
l'iman est passé ?

— Je ne l'ai pas encore vu.

— Je crois l'avoir aperçu près de l'entrée du village.

— Merci, répondit-il en se levant. Il était sûr
qu'on venait de parler de Ndiobène. Il se dirigea
vers l'entrée du village.

Le soleil montait : croupe basse, oreilles pendantes de côté, le chien vint se coucher près de la marchande, le menton à terre; les mouches en grappe s'agglutinaient sur sa tête.

Seuls les propos des yothékat, sous le beintanier, voltigeaient.

Aussi loin que Santhiu-Niaye surgira des nuits du temps, son nom restera attaché au Ndiobène. L'aîné de Ndiobène, Guibril Guedj Diob — comme ses concitoyens — était un assidu de la mosquée — ce petit enclos au centre du peinthieu. Et quand la grossesse de Khar Madiagua Diob, sa fille, fut sue de tous, un palabre fut introduit par le frère cadet Medoune Diob. Dans les annales de cette haute sphère de notables, une situation si délicate n'avait jamais tant hanté les esprits. Les formules de politesse épuisées, Medoune Diob répéta :

— Mon frère est responsable de l'état de sa fille.

— Mérite-t-il la mort ? Ou doit-il être exclu de notre village ? demanda Massar avec sa tête plate dessus, allongée derrière, les yeux purulents : tout en lui affichait ce mélange trop poussé de liens de cousinage. Sans attendre de réponse, il reprit :

— Selon la loi coranique, Guibril Guedj Diob mérite la mort. Cela est vrai dans les Ecritures. Mais a-t-on appliqué ici les peines demandées par l'Ecriture parce qu'on les enfreignait ?

— Massar, parle pour toi, répliquait Medoune Diob.

— Je pose la question à l'iman, dit Massar se retournant vers celui-ci.

L'iman avec son visage d'une rigueur de mystique récitait un chapelet. Etaient assemblés là tout ce que Santhiu-Niaye comptait d'esprits éclairés: cinq hommes.

— Et notre *adda* (coutume-tradition), que dicte-t-il ?

Baye Yamar les dévisageait à tour de rôle et poursuivit :

— Notre adda a été la règle première de la vie de nos pères. Tout manquement à cette règle mérite ou la mort ou l'exclusion de la communauté.

— Pour préserver et donner l'exemple, veiller à l'honorabilité de notre communauté, le couple mérite une sanction. Le Coran est formel là-dessus. Et nous sommes tous ici des musulmans. Le châtiment doit être appliqué en place publique devant tous, ou alors le coupable est jeté dans un puits que l'on bouche avec des cailloux, dit Medoune Diob.

— Vrai, tout délit mérite une pénalité. Cela est vrai ! Est-ce que, une seule fois, on a puni ou exclu quelqu'un pour une entorse à notre adda... ou au manque de respect au bien d'autrui ?

Medoune Diob avait des morsures au cœur, dès qu'il entendait Déthyè Law. Depuis des mois, il se heurtait à lui. Là, il se dominait pour ne pas lui lancer : " Ici, il n'y a personne de tes *nawlé* (rang social). " Au choix des personnalités, il s'était opposé à sa présence.

— Le cas est précis ! Yallah sait que j'aime mon frère. Non seulement parce qu'il est mon frère, comme tous, il est croyant, mais le souci implacable de l'honorabilité de la communauté me guide et doit vous guider aussi. La conduite, le comportement infâme de Guibril Guedj Diob éclaboussent tout Santhiu-Niaye. N'importe où nous irons, même nos enfants, on nous montrera du doigt. De même, ceux qui ne sont pas nos nawlé nous sous-estimeront.

— Cela est vrai, renchérit Amath.

— Est-ce que je peux me retirer ? demanda Déthyè Law se recoiffant de son vieux fez.

— Pourquoi ?

— Baye Yamar, je ne suis pas venu ici pour être insulté.

— Qui t'a dit quelque chose de travers ?

— Je sais la signification des paroles. Certes, je suis né griot, mais je ne me ferai jamais complice de personne, même moralement.

— Déthyè Law, ne te retire pas le cœur en flamme. Jamais palabre n'a eu lieu sans ta présence... Car tu es notre griot.

— Je demande pardon à l'assemblée. Je sais ma place dans notre communauté. Une chose est pourtant vraie. Lorsqu'il s'agit de dire la vérité, ou de chercher la vérité, il n'y a pas de nawlé. On connaît le nombre de gens de ma caste assassinés pour le triomphe de la vérité. Vrai que Guibril Guedj Diob mérite la mort. C'était la règle de nos pères, nos grands-parents, lorsque l'essence de la noblesse n'était pas exhibition, mais conduite quotidienne. Pour des faits et actes moindres que celui qui fait l'objet du palabre d'aujourd'hui, on a encore en mémoire les noms de ceux qui ont mis fin à leur vie. C'étaient des guélewar, ceux dont mon père et son père chantaient les louanges, non pour plaire, mais plutôt pour écrire, imprimer en nous le sens du devoir et de la dignité de l'homme. Aujourd'hui, cette conduite n'est plus. Mais la vérité, elle, elle est de tous les temps et le sera même après nous.

Déthyè Law marqua un temps de pause; le front baissé, doucement, il oscillait sur son tronc. Il reprit d'un ton égal :

— Je me demande, disait Kotdj-Barma à un palabre similaire, ce que l'on doit penser des vieillards qui épousent des filles qui ont l'âge de leur fille ?

Le silence s'épaissit pendant des secondes ; le toc-toc régulier des perles du chapelet de l'iman s'entendait. Il décroisa ses jambes et débuta avec ce timbre arabisant qu'il affectionnait :

— Je ne partage pas les arrière-pensées de Kotdj-Barma. Faut-il considérer qu'un vieil homme qui prend pour épouse une fille de l'âge de sa fille commet l'inceste ?

— Une fille de même âge que ta fille, une fille qui s'est amusée chez toi avec ta fille, que tu appelais, hier, " mon enfant ", une fille dont les parents disaient : " Va dire à ton père un tel ", une fille que tu as baptisée, cette fille, en l'épousant, c'est ta fille que tu épouses, finit de dire Déthyè Law fixant l'iman avec défi ; sa peau charbonneuse se plissait au front.

L'iman pinça la perle-témoin de son chapelet, baissa ses paupières, les lèvres imperceptiblement bougeaient. Puis, ouvrant ses yeux, il dit :

— En toute vraisemblance, vu de si loin, et de cette façon cela est moralement anormal. Aussi je m'empresse de dire qu'aucun Sariya ou Rysala ne soutient cela. On connaît plus d'un saint homme qui a pour épouse une fille de l'âge de la sienne.

Cette étincelle de satisfaction qui jaillissait de sa prunelle, la même qui parfois auréolait des esprits obtus longtemps réduits à l'état d'infériorité, illuminait son œil. D'un calme docte, tranchant, l'iman reprit son chapelet :

— Cela est vrai ! Plus d'un grand homme a eu pour deuxième, troisième, quatrième épouse la fille d'un de ses disciples. Au préalable, il y avait accord entre les deux hommes : le père de la fille et le futur gendre. Et la fille, soumise, obéissait. La conduite

d'un saint homme n'est pas matière à discussion.
Entre l'absolution d'un mariage et le péché de la
chair, il y a tout le niaye. Je disais tout à l'heure
— non, je demandais — si Guibril Guedj Diob doit
être tué ou s'il devrait être exclu de notre communauté ? Qu'est-ce qu'on essaie de sauvegarder ? La
pureté du sang de naissance ? La pureté du sang
moral ? Et si je me place — Yallah est mon témoin —
sur le plant strict des dogmes du Sariya, je vous
poserais cette question : " A-t-on une fois châtié
quelqu'un homme ou femme, parce qu'il a violé chez
nous les Saintes Ecritures ? "

Massar attendait que quelqu'un répondit.

L'érudition rivale qui se manifestait entre Massar
et l'iman datait d'il y a trois ans. A la mort du pré-
cédent iman, les deux hommes, dans une lutte serrée
et silencieuse d'influence, postulèrent cet honneur.
Aucune allocation matérielle ne leur était allouée.
Tous deux savaient en outre que celui qui détenait
cette fonction avait une forte influence sur la communauté.

— Donc, chez nous, reprit Massar en essuyant ses
orbites encrassées, les Ecritures sont lettre morte.
Car jamais, dans ce village, dans tout le Sénégal,
où pourtant prolifèrent les mosquées, pas une fois les
peines que nous dictent les Saintes Ecritures ne sont
appliquées. Allez voir les autorités ! L'estime que nous
avons, que nous nourrissons à leur égard, nous suffit.
Il nous reste donc notre adda, l'héritage de nos pères.

— Donc on laisse Guibril Guedj Diob ? interrogea Medoune Diob. Jamais plus nos enfants n'oseront
affronter ceux de leur âge, de leur génération.

— Yallah m'a prêté une voix pour appeler ses
fidèles. Je l'en remercie ! Alhamdoulilah !... Je confesse ici que ma connaissance des lettres arabes est
très limitée. J'en pleure toutes les nuits. D'un côté

aussi je me console — loin de moi le péché d'orgueil — en me disant : " Yallah lit dans tous les cœurs et comprend toutes les langues de l'esprit. " Je parle donc pour le adda, car je suis le seul griot ici. Vous vous souvenez de ce conte de notre enfance : *Communauté*[1]. Comme Inekeïv, je ne sais pas lire. Je ne sais pas ce que nous craignons le plus. Les hommes ? Yallah ? Il y a quelques mois, ici, plus d'un de nous était convaincu que le navétanekat, Atoumane, était l'auteur du forfait. Convaincus et par Medoune Diob et Guibril Guedj Diob, vous vouliez laver cet affront dans le sang, chassant le navétanekat du village. Tout Ndiobène profita du travail, de la sueur du navétanekat. Est-ce que quelqu'un de Ndiobène nous a réunis comme aujourd'hui pour avoir notre avis ? Pourtant, le navétanekat jurait que ce n'était pas lui. Rien n'y fit. Mieux, il avait sollicité l'intervention de l'iman, ici présent. Que lui avait-il conseillé ?

Déthyè Law souffla un peu. Son regard rencontra celui de l'iman à nouveau. Ils se fixèrent longuement. Il reprit :

— Que lui avait-il dit, quand le navétanekat faisait confiance à son rôle de guide spirituel, le représentant de tous, de Yallah ? Rien... Si, il lui a dit : " Mon fils, aie confiance en Yallah. " L'espoir du navétanekat devint une amère déception. Nous connaissons la rude lutte qu'il avait livrée pour ce champ abandonné à cause des épineux... Passons !... Se cachant, il était venu me voir. Deux jours, je l'ai gardé chez moi. Personnellement, j'ai été voir Medoune Diob. Medoune Diob était plus intransigeant que son aîné, Guibril Guedj Diob. Leur fils, Tanor

---

(1) Voir *Voltaïque*, éd. Présence Africaine.

Ngoné Diob, dans ses moments de lucidité, alla saccager une partie du champ. Seule, Khar Madiagua Diob refusa d'accuser le navétanekat. Personne ne voulait croire à elle non plus. Aujourd'hui, on la comprend. Est-ce qu'une fille peut dire en public : " L'enfant que je porte est de mon père " ? Et vous vous souvenez de cette nuit de chasse à l'homme dans le village ? Si je refuse de cautionner une sanction, non que j'approuve l'inceste ici ou ailleurs, c'est qu'il y a une autre raison. Notre manque de discernement de la vérité ne provient pas de nos esprits, plutôt du trop grand honneur qu'on accorde à la naissance, à la fortune et aussi — parfois — au manque de courage à s'extérioriser. Entre l'homme et Yallah, j'opte pour Yallah. Entre Yallah et la Vérité, je suis pour la vérité. Medoune Diob a autre chose derrière la tête.

— C'est pas vrai, l'interrompit Medoune véhément.

Pendant un temps, tous parlèrent à la fois.

— Criez, la vérité se cache ! Gardez le silence, la vérité se fige, devient pierre, prononça sentencieusement Massar.

— Laissez-le finir ! Nous avons le temps. Si ce n'est pas ce loli, ce sera l'autre, dit Baye Yamar rétablissant l'ordre.

— Je répète que Medoune Diob pense plutôt à la succession de Ndiobène qu'à la peine. Etre de caste inférieure n'a jamais été une entrave à l'expression de la vérité, finit de dire Déthyè Law.

— Je te laisse, Déthyè Law. Yallah nous jugera.

Et je vois que cette histoire est réduite à la dimension de Ndiobène. Je vous prie de me pardonner, comme Yallah pardonne à ceux qui l'offensent.

Ceci dit, Medoune Diob se leva et partit :

— Je n'avais pas pensé à tout cela, ajouta Baye Yamar qui sortit, accompagné de l'iman.

Les autres aussi se retirèrent.

Et, pendant des semaines, sans se concerter, tous
les assidus de la mosquée s'engageaient tacitement à
exclure Guibril Guedj Diob. Pendant les prières, personne ne voulut se mettre à ses côtés. Lorsque Guibril
Guedj Diob mettait ses babouches à l'entrée, tous
retiraient les leurs. Un jour, à la prière de Tacousane,
tous abandonnèrent la mosquée, le laissant seul.

Aux palabres, il ne fut plus convoqué.

De lui-même, il ne vint plus à la prière, ni sous
le beintanier.

Avec son ombrelle, solitaire, il s'en allait.

Le niaye était chauffé à blanc, désert, le sable des
dunes chatoyait, à l'horizon un nuage de vagues en
mouvement.

Dans le village, écrasé par la vive et torride chaleur du milieu du jour, chacun se reposait; au ras
des palissades, les poules se tenaient sur une patte,
leur bec ouvert.

Seul Déthyè Law travaillait. Il veillait au premier
déclin du soleil pour la prière de Tisbar. Tout était
comme sur une carte postale, inanimé, sans vie.

Le chien mollement secoua sa tête; l'essaim de
mouches s'envola et revint se poser sur ses oreilles
blessées. Somnolent, il ferma ses paupières, indif-
férent aux mouches; une paire d'ânes, les pattes de
devant liées, par bonds, gagnait le pied de l'arbre.

Déthyè Law se leva et sortit du rayon ombragé. Il
inspecta la lisière de l'ombre d'un air douteux, pinça
ses yeux pour mesurer la courbe du soleil; puis la
main droite — les cinq doigts réunis —, il les plia
à moitié. Ses doigts imprimaient sur sa paume leur
ombre : c'était l'heure du node — de l'appel à la
prière.

Dès le node de Tisbar, Ngoné War Thiandum
s'était rendue dans le niaye. Elle en était revenue sans
être vue. A Ndiobène, elle prit place sous le nébédaye,
guettant l'arrivée de Gnagna Guissé, prêtant attention
à la case où était Khar Madiagua Diob. Elle avait
apprivoisé son courroux. L'enfant sera là ce soir, lui
avait dit Gnagna Guissé. Mentalement, elle recompta
les mois : *barahelu, kor, korite, digui-tabaski, tabaski,
tamharet, digui-gamu, gamu, raki-gamu* (noms des
mois du calendrier volof), neuf mois. Un arrière-goût
de satisfaction, subtil comme la suave senteur d'en-
cens Ségouen, envahit son esprit : dans sa lignée maternelle, aucune femme n'était anormalement consti-
tuée. Elle se demandait comment allait réagir son
mari. Pourra-t-il vivre avec cet enfant ? Avec la fille-
mère de cet enfant dans la même maison ? Même
village ? Même pays ? Vivre avec eux ? Avec les co-
épouses ? Et elle, mère, grand-mère, comment accom-
plira-t-elle ses devoirs conjugaux ? Toutes ces questions restaient sans réponse. Même morte, se dit-elle,
elle n'aura pas la vie tranquille des morts : morte,
elle se lèvera à chaque moment de sa tombe. Ne
dira-t-on pas quand passera sa fille :
— C'est Khar Madiagua Diob, fille de Ngoné
War Thiandum. Son premier enfant, elle l'a eu avec
son père.
Comme les termites rongent l'intérieur du bois, une
pareille dévastation s'était produite en elle. Ngoné
War Thiandum ne vit pas la poule qui grattait et
picorait en avançant vers son pied. Elle poussa un
cri, bête, féroce. Elle leva la main à mi-visage, peureuse, la bouche ouverte.
La poule effrayée se sauva, battant des ailes.
D'un coup, elle ferma sa bouche — une mouche
avait failli s'y engouffrer. Revenue à elle, son attention fut de nouveau attirée par le timbre de Guibril

Guedj Diob. Il gendarmait un garçonnet. Ne pouvant résister, elle risqua un coup d'œil entre les
interstices des lattes ; l'ombre de Guibril Guedj Diob,
épaisse, était à ses pieds. Elle ne le voyait qu'en partie. Une voix qu'elle connaissait, dont elle savait inter-
préter les nuances, les joies, les peines, les demi-
succès et les défaites complètes, les sincères commu-
nions, les actes de piété accomplis avec hâte.

Gnagna Guissé la surprit : d'un sursaut, elle se
décolla de la palissade; son regard rencontra celui de
la griote. Un silence hostile marqua les distances :

— " Moi, je suis la victime. Toi, tu es étrangère ", lisait-on dans le reflet du regard de la mère.

Affligée de cette réplique blessante non formulée,
elle refoula ses pensées. Comme ce matin, elle lui
fit place. Tout de suite, la conversation se noua,
d'allure allègre — parce qu'elles se détournaient du
sujet pendant. Avec délire, elles se remémoraient les
cycles familiaux d'alors, de leur jeunesse: elles étaient
des privilégiées, leur époque était enviable. Santhiu-
Niaye groupait des gens gais; chez toutes les deux, le
regret s'imprimait dans le ton : c'étaient deux femmes
issues d'un même monde, mais avec leur rang. Elles
évitaient avec adresse de parler des tares, des vices
de cette société. Volontairement, elles s'en éloi-
gnaient, élevaient les vertus jusqu'à l'excès. Même
cela, ce besoin d'embellir avec exagération, ne parve-
nait pas à éloigner de leur esprit l'outrage fait à la
morale.

Parlant de la saison qui s'achevait et de celle qui
approchait, Gnagna Guissé tâtait encore le terrain.
Ngoné War Thiandum parlait du bout des lèvres. Sa
sécheresse intérieure avait statufié ses gestes. Les
doigts rythmaient ses paroles; tapotant sur les perles
du chapelet qu'elle avait enroulé autour du poignet.
La griote aussi se demandait si elle avait bien agi.

Dans sa tête, lui trottaient les paroles du sage :
" Toute vérité qui divise, qui jette la discorde entre
les gens d'une même famille est mensonge. Le mensonge qui tisse, unit, soude les êtres, est vérité. "
Gnagna Guissé s'en tenait là pour justifier son silence.
Elle était contente de voir, malgré l'immoralité inces-
tueuse, les marques des nuits blanches, se vider
la poche de fiel du cœur de la mère. L'orgueil
des Thiandum-Thiandum, la violence passive s'amas-
saient encore aux commissures de la bouche.

— Cette nuit, inchallah, un étranger sera des nô-
tres, dit Gnagna Guissé, guettant l'effet de sa phrase.

— Elle n'a rien dit ?

— Rien.

— Je veux que tu remettes les bijoux. Je les
tiens de ma mère, elle, de la sienne, ainsi de suite.
Je veux aussi que les bijoux servent à l'enfant, à faire
de lui un homme. Je souhaite que ce soit un garçon.

Marquant un temps d'arrêt, elle vit en imagination
l'enfant devenir homme, revêtu de la dignité d'un
homme. Avec lui commençait une vie neuve où se
greffait, se régénérait et s'achevait l'existence miséreuse de tous les hommes.

— Ces bijoux sont pour l'enfant, pour l'aider à
devenir un homme, reprit Ngoné War Thiandum. Je
souhaite que ce soit un garçon, répétait-elle pour elle-
même. Peut-être, c'est sûr (après un temps de réflexion), le petit n'aura pas de nom de famille. Qu'elle
l'appelle *Véhi-Ciosane* Ngoné Thiandum (*Blanche-
genèse Ngoné Thiandum*). De ce Thiandum, je suis
la seule dépositaire. Je le lui lègue.

Gnagna Guissé, attentive, n'émettait aucun avis.
D'habitude, ces bijoux étaient exposés le jour du mariage : c'était aussi l'estampille d'une famille aisée de
guélewar. Ils étaient ensuite portés par la fille, lors
des grandes cérémonies. Elle aussi les léguait à ses

descendantes. La démarche de Ngoné War Thiandum
était nouvelle : les bijoux changeaient de mains et
d'usage. Ce geste désintéressé ressuscita le glorieux
passé attaché aux Thiandum-Thiandum, dont Gnagna
Guissé était la *gueweloi-diudu* (griote généalogique).
Elle eut envie de pousser un tollé d'éloges, mais se
retint de toute manifestation intempestive.

Le muezzin Déthyè Law lança son troisième node
du jour : la prière de tacousane.

Ensemble, elles se levèrent pour entrer chez Ngoné
War Thiandum.

Badièye et Gornaru s'étaient précipités après la prière de tacousane pour reprendre leur partie de yothè : devant témoins, le jeu était passionnant.

— Pénétrer ! apostropha Gornaru qui plaçait un " clou " et commentait : Quand on a cette corne à la fesse, la position assise est inconfortable, soit qu'on s'incline, soit qu'on la loge dans un creux avant de s'asseoir.

— Attitude incommode pour un prétendant chez ses futurs beaux-parents, renchérit Sému qui prenait place.

De la " mosquée " arrivaient Palla et Massar. Ce dernier avait les cheveux mouillés. Vinrent ensuite les autres formant groupe avec l'iman.

Entre le tacousane et le timis, la cordialité et la bonhomie de la causerie, se mêlaient les oppositions personnelles, familiales ; le palabre se groupait, se coupait parfois de longs silences, pour rebondir, s'embrouiller inextricablement.

— Que dis-tu ?

— Je dis que le yothè est un jeu de saytané. A peine avez-vous fini vos chapelets que vous êtes à ce jeu, dit l'iman faisant face à Baye Yamar, le corps appuyé sur les coudes, regardant au loin les enfants qui menaient un âne récalcitrant.

— On passe le temps.

— C'est justement ce qui est grave ! Ce temps devrait être consacré à Yallah. Et, de plus, vous ne dites que des grossièretés.

— Il n'y a que des *malaika* (anges) pour cela. Eux qui n'ont ni désir, ni famille, ni sexe. Entre Yallah et nous — je veux dire moi-même — je ne veux pas de protecteur. Ce que je fais, je le fais au grand jour.

— Ce que font les autres en cachette, Yallah en jugera.

— Donc, laisse-le, qu'Il me juge.

Ceci dit, Badièye avança son cou, se concentra et à haute voix :

— Lorsqu'on possède une femme, ou elle t'aime ou elle compte sur ta récolte.

Amath, son supporter, saisit le poignet de Badièye et ajouta :

— Vrai ! Quand on a une vieille femme pendant le froid, on la réchauffe de son corps ou avec quantité de fagots de bois.

— Ces deux activités ne sont pas des occupations continuelles ; l'une comme l'autre, on y laisse sa peau, renchérit Badièye en piquant vif son bâtonnet.

Les exclamations montèrent.

— Jamais plus tu ne te hasarderas dans cette case, dit Gornaru et à son tour, il commenta : Manger de la chair, monter sur la chair et mettre la chair dans la chair !

Et, d'un geste rude, il arracha deux bâtonnets, plaça son crottin d'âne.

— Astafourlah ! Astafourlah, répéta Massar en saisissant l'avant-bras de Palla. (Palla se redressa, s'étira sur ses reins.) Massar déclamait les ordonnances en arabe et en volof : Il n'y a que cela de vrai : les Saintes Ecritures.

Les yothékat firent face aux assauts des prédica-
teurs : l'iman et Massar.

— Comme tous, chacun sera seul dans sa tombe.
Il n'y répondra que de ses actes et paroles, conclut
Gornaru et attirant Badièye : Fais pas attention à eux.

Badièye, volubile, rendait coup pour coup :

— Et le départ d'Amath ?

— Inchallah, je partirai, débuta Amath qui voyait
très mal son déménagement revenir sur le sol. Je ne
veux pas être là pendant l'arrivée du toubab-commandant. Je pars avec ma famille. Mes enfants sont
grands et sont en âge de se marier. C'est la volonté
de Yallah si je n'ai que des filles. Je ne peux pas
tout le temps payer leur impôt.

— Si je comprends bien, personne ici n'est digne
de tes filles, d'en épouser une ? questionna Baye
Yamar.

L'âne et les enfants avaient disparu derrière la palissade.

— Moi ? s'exclama Amath piqué, la main à la
poitrine. Moi ? Qui a dit cela ? Si mes filles sont
d'accord pour prendre n'importe qui d'entre vous,
ce soir, nous célébrons leur union. C'est pas pour
cela que je pars. C'est à cause de l'impôt. Voilà
près de deux ans que j'ai pas payé l'impôt.

— Choisis un d'entre nous. Avant, cela se faisait
ainsi. Depuis quand cette initiative est-elle laissée aux
filles ?

— J'ai toujours dit que mes filles décideront, Baye
Yamar.

— Donc, ce sont tes filles qui ne veulent pas de
nous ?

— De cela, j'en sais rien. Voilà un point que
je n'ai jamais abordé avec elles.

— Peut-être sommes-nous très âgés, pensent-
elles ?

Amath préféra garder le silence sur ce chapitre.

— Où pars-tu ?

Palla avait achevé ; le crâne nu, bosselé de Massar, d'un teint chocolat, saillait davantage vers la nuque.

— J'ai des parents à Thiès. Nous pensons aller plus tard à Ndakaru (Dakar) où je trouverai du travail inchallah.

— Ndakaru ! Il n'y a rien à Ndakaru, qu'une forte concentration d'individus, de mendiants, venus de partout.

— Tu seras là-bas un étranger. Les gens des villes n'ont ni foi ni honneur. C'est comme dans le niaye entre les bêtes. Le plus fort mange le plus faible. Là-bas, l'entreprenant ne vit que des biens du négligent. Personne n'a le temps de s'occuper sérieusement de Yallah. Les vieux comme nous ne sont plus les guides. Ils marquent le pas.

L'iman avait parlé d'un ton doctoral.

— J'ai entendu dire pire que cela, ajouta Palla. C'est pas comme ici.

— Vrai, c'est pas comme ici. Voilà deux semaines que nous attendons Latyr, qui une bougie, qui du savon, qui du sucre et j'en passe. Il...

— Déthyè Law, penses-tu qu'à la ville cela se donne, se ramasse ?

— Non, Baye Yamar, non. Voir ces choses aide à espérer, nourrit et fortifie la volonté. Car c'est l'espoir dans le paradis qui nous soutient.

— Mords tes peaux, c'est mieux, coupa l'iman qui, depuis longtemps, guettait l'occasion d'humilier l'artisan.

— *Diam* (Paix) ! Il n'y a rien, plus de paix alors. Suis-je condamné à ne plus ouvrir la bouche ?

— Nous comprenons où tu veux en venir avec tes sous-entendus sarcastiques, Déthyè Law.

— Alhamdoulilah !... Parlons de ton esprit.

— Déthyè Law, tu as du travail. Occupe-t'en. On parlait avec Amath.

— Palla, tu sais que c'est par contrainte que je quitte Santhiu-Niaye. Je ne veux pas avoir l'air de fuir, laisser derrière moi une impression de fuite... Pour l'impôt, oui.

— Tu abandonnes tes sépultures. Voilà ce que tu fais. Ceux qui sont partis sont-ils revenus une fois ? Non. Tu as vu le jour ici. Le niaye est peuplé des ossements de tes parents. Tu t'exiles parce que tu as laissé tes enfants prendre un grand ascendant sur toi. Quant à l'impôt, nous donnerons ce que nous avons.

Palla, tout en parlant, s'était accroupi, aiguisant le couteau sur le bord du talon de son samara. Il parlait avec un fort accent de gorge.

— Tes filles ont raison. Je les approuve ! Sur un terrain vaste et nu où ne se dressent que des souches, on n'y attend pas le mitan du jour. Il faut de l'ombre pour s'abriter quand le chemin est long, opina Déthyè.

— Amath, n'écoute pas Déthyè Law. Si notre village est ainsi, c'est la volonté de Yallah, tout le reste est orgueil, répliqua l'iman.

— Laissons Yallah là où il est. On parlera de Lui à son heure.

— Astafourlah ! Tu blasphèmes, Déthyè Law, ponctua Baye Yamar qui était venu succéder à Massar. Il avait les cheveux mouillés aussi. Assis sous les pieds de Palla, il poursuivit : Tout ceci est le résultat d'une oisiveté spirituelle. C'est le désœuvrement qui conduit de telles paroles.

— Je pense, moi, le contraire. Yallah n'aime pas les esprits recroquevillés. C'est comme l'eau qui ne coule pas. Tout le monde sait que l'eau qui ne coule

pas, croupit. Elle devient infecte. Malgré son apparence de propreté, ronge la terre qui la loge. D'où
la stérilité de la terre et de l'esprit de l'homme.

Descendant d'une vieille souche aristocratique,
nourri d'un fond religieux, Baye Yamar n'affectionnait pas l'esprit critique du cordonnier. Le mépris que
lui inspirait — dans les conversations — cet homme
de caste inférieure le confirmait dans ses appréhensions de voir que le adda se mourait. Il dit d'un ton
dédaigneux :

— En vérité, ton langage n'est digne que de ton
rang de griot.

— Le refus de voir ou d'entendre la vérité lorsqu'on n'est pas capable soi-même de cerner cette
vérité, et de la faire sienne fait qu'on est moins qu'un
griot, objecta vivement Déthyè Law; ses paroles
manquaient d'aménité.

Palla — le coiffeur — vexé, se dessaisit de la tête
de Baye Yamar :

— Déthyè Law, ne peux-tu pas orienter ta langue de cordonnier ailleurs ? Laisse Baye Yamar en
paix.

— L'infériorité de ses réflexions m'attache à lui.

Quelqu'un partit d'un rire d'affamé, tel l'éclatement
à midi d'une gousse de calebasse : c'était Biram.
Sa dentition défectueuse s'étalait. Levant son regard,
il vit le coude d'Amath avec intérêt et le fixa : le
coude ressemblait à un quignon de pain. Un moment, il regarda ce point fixe.

Le chahut des joueurs était enveloppant.

Badièye, de côté, s'inclina, décolla sa fesse gauche
et fit du vent doucement. Puis, envoyant à chacun
un regard timide, discret, il dit enfin :

— Alhamdoulilah !

— Un os dans la maison, il est pour qui ?
demanda Gornaru.

— Pour le chef de carré, répondit quelqu'un.

— Non, à la plus jeune des épouses, dit un autre. La conversation se dispersa.

Amath était venu se placer devant le cordonnier en lui demandant des nerfs.

— Prends, mais ne me perds pas l'alène. Il faut aller jusqu'à Thiès pour en trouver.

— Pour qui me prends-tu ?

— Pour quelqu'un qui part.

— C'est vrai.

Amath s'éloigna, alla rejoindre le groupe de l'iman. Massar disait :

— C'est Déthyè qui peut nous en parler. Sa femme est là-bas. Mais il ne le fera pas.

— Je ne serai pas là pour le baptême, dit Amath.

— Décidément, tu pousses la cruauté jusqu'à chatouiller un cadavre, dit l'iman.

— Faudra bien lui donner un nom, ajouta Massar.

— Si c'est un garçon, es-tu d'accord d'être le parrain ? interrogea l'iman.

— Je crois que les enfants de cette nature ont en général un parrain défunt.

— C'est une façon délicate de se récuser.

— Serais-tu d'accord, toi, si c'est un garçon ?

Aiguës, les exclamations des yothékat retentirent. Gornaru venait de remporter la belle.

Badièye disait :

— C'est parce que je dois faire mes ablutions.

Le soleil dans sa dernière course embrassait tout le niaye, baignant le couchant dans une eau couleur safran ; les zones ombragées s'élargissaient.

Déthyè Law se mit sur ses pieds, s'étira voluptueusement, puis se dirigea vers la mosquée. Il regarda vers le couchant, ferma encore sa main à demi, puis face à l'est, les mains de chaque côté de la bouche, en crescendo il fit monter son node.

A la seconde, tout se tut, l'appel s'élevait en spirale.

Gnagna Guissé, depuis le décilement du jour, messagère, hâtive, allait de concession en concession. Dans chacune, les us de politesse débités, à l'écart ; d'un ton consterné, de bouche à oreille, elle s'entretint avec le maître de céans ; tous deux se dévisagèrent, leurs physionomies couleur feuille de tabac racornie, frippée, étaient stupéfaites. Et ajoutait-on sur le dos de la griote :

— Enfin, elle a trouvé la paix de l'esprit. Ce monde n'était pas viable pour elle.

L'unanimité s'était faite sur deux phrases.

On empruntait les chemins conduisant à Ndiobène : les vieilles femmes, leur pagne de cérémonie sur la tête, en file processionnaire entre les palissades, chuchotaient :

— Avec ce poids dans le cœur, son sang s'est tourné. Yallah, merci de l'appeler dans ton monde, dit l'une d'elles avec piété.

— Khar Madiagua Diob a mis bas comme un animal cette nuit, révéla une autre avec promptitude dans le propos, fière d'avoir été la première à divulguer la nouvelle.

— Que dis-tu ? demanda une femme, abandonnant son interlocutrice.

— Comme le soleil nous surplombe. je te le dis.

— C'est la nuit qui accouche du soleil.

— Qu'est-ce qu'elle a eu ?

— Personne ne le sait. Elle est chez Déthyè Law. Elle a un monstre, dit-on.

— Elle ne pouvait avoir qu'un monstre. Yallah, de nos jours, a perdu patience. Elle a tué en plus sa mère. Elle aurait mieux fait de mourir en couches.

— Plutôt Guibril Guedj Diob devait mourir.

— Moi, je me demande comment un homme comme lui a pu se conduire de la sorte ?

— Ses ancêtres doivent vouloir sortir de leur tombe.

— Où va notre monde ?

Les femmes d'un côté s'alignaient dans Ndiobène. Elles cancanaient.

— Et Khar ?

— Elle est chez Déthyè Law. Et personne n'ira la chercher là-bas. Tu sais, quand on franchit le seuil de cette maison, personne n'a plus le droit sur toi, opina Yaye Khurédia qui, en la circonstance, s'était convenablement vêtue.

— Et Guibril Guedj Diob ?

— Il est allé au cimetière.

— C'est la moindre des choses ! Moi, à sa place, je me serais abstenu. Ou alors, je ne reviendrais pas du cimetière. Quand on est guélewar, on ne survit pas à cet acte, dit la troisième femme face à l'entrée de la maison.

— Quel déshonneur ! Je suis sûre que Ngoné War Thiandum s'est donné la mort.

— Plutôt mourir mille fois de mille manières plus affreuses l'une que l'autre, que de supporter un jour de plus un affront. C'est leur devise, celle des Thiandum-Thiandum. Elle n'a pas failli à la tradition.

— C'est ce que tout le monde dit. Elle ne pouvait pas surmonter cette honte. C'était vraiment une Thiandum. La dernière de cette lignée. Son sang a parlé, dit encore Yaye Khurédia. A jamais, on n'oubliera l'inconduite de Guibril Guedj Diob. Une honte !

— Honte ?... Une turpitude, oui.

— C'est un homicide moral. Khar Madiagua Diob a tué sa mère. Personne ici ne la prendra pour femme. Même s'il ne restait que de vieux hommes. Tu vois ma fille sa co-épouse ? Jamais.

— C'est la faute de Guibril Guedj Diob. Khar Madiagua Diob n'a rien fait.

— Comment, elle n'a rien fait ? interrogea Yaye Khurédia redressant sa poitrine plate en se retournant vers celle qui venait de parler. Comment, elle n'a rien fait ? Combien de fois a-t-elle couché avec son père ? C'était dans le niaye qu'ils faisaient leur chiennerie, sous le regard de Yallah et de ses malaïka.

— Que Yallah nous pardonne de telles conduites, objecta une femme.

— Peut-être que le père l'a obligée ?

— Obligée ! Tu radotes... Comment peut-on forcer une jeune fille ? Elle pouvait crier. Moi, je maintiens qu'elle était consentante. Comme une saytané, elle a tenté son père.

— Jamais plus elle ne doit vivre ici. Nous devons lui rendre la vie impossible.

Une vieille de la génération de Yaye Khurédia fit son entrée. Elle se confondait en excuses d'être en retard. Yaye Khurédia l'invita à se joindre à leur société ; vite, elle la mit au courant et poursuivit :

— Si Khar Madiagua Diob reste, elle risque de donner un mauvais exemple à nos filles. Car tous les jeunes gens sont en ville. Et les pères risquent de se détourner de la voie de Yallah.

— Dans ma prime jeunesse, j'avais entendu un

cas d'inceste. L'homme avait été enterré vivant. J'avais entendu cela de ma grand-mère. Depuis, je n'ai jamais pensé vivre encore ce fait. Au juste, à qui dois-je faire mes condoléances, finit par dire la dernière arrivante, calée entre Yaye Khurédia et l'autre.

— A qui ? Guibril Guedj Diob ? Khar Madiagua Diob ? Peut-être la deuxième *veudieu* (co-épouse). Je l'aperçois là-bas avec son air chichiteuse. Elle doit jubiler maintenant.

— Et Tanor Ngoné Diob ?

— Le dingue !

Yaye Khurédia fronça les sourcils et dirigea son regard vers les hommes qui rentraient du cimetière.

Les hommes étaient revenus de l'enterrement : Gnagna Guissé, griote de la famille Thiandum, les recevait. Les hommes formaient un monde à part, silencieux, les yeux baissés. Ils se retenaient de toute conversation. Il planait dans cette lugubre atmosphère une animosité retenue. Au bout d'un temps, ils se retirèrent, laissant un vide dans Ndiobène.

Puis ce fut le tour des femmes. Ndiobène n'eut pas, comme c'était la coutume chez nous en pareille saison, de veillée funéraire animée.

Au milieu du jour, par-dessus les palissades, on voyait, seul, le dôme scintillant de l'ombrelle de Guibril Guedj Diob, revenant du cimetière.

Ni dans la matinée, ni après la prière de tisbar, il n'y eut causerie, ni partie de yothè.

Guibril Guedj Diob, dans sa case, assis sur sa peau de mouton, relisait le Coran. Depuis que l'anathème l'avait frappé, il vivait aussi seul. Même ce matin, avec ses pairs, il n'eut pas d'échange de formules de politesse.

Sous le beintainier, Déthyè Law apercevait Medoune Diob accompagné de son neveu Tanor Ngoné Diob. Puis, seul, l'ancien militaire entra dans Ndiobène ; l'oncle, quelque temps après, pris la direction du niaye, prenant soin de regarder de chaque côté. Il sentait sur son dos les yeux du cordonnier ; il se retourna vers lui avant de poursuivre son chemin.

Tanor Ngoné Diob s'était glissé dans la case, observant son père. Dans son regard luisait le mince reflet de la démence. Ses bras tombaient le long de son corps ; le pouce, agité par on ne sait quel instinct, machinalement frôlait le manche de son couteau.

— Comment te portes-tu, fils, débuta Guibril Guedj Diob, en guise de salutation.

Une raie de lumière tombait de la toiture sur le dos de la main, l'index effilé retenait la page ; les perles de son chapelet en pierre d'améthyste lançaient par endroits des points brillants.

Tanor ne répondit pas.

Guibril Guedj Diob referma le Livre, d'un quart de tour pivota sur ses reins. La lumière découpait sur sa nuque une barette blanchâtre.

— Mère est morte, dit Tanor d'un ton qui n'était ni interrogatif ni affirmatif.

— Oui, fils. Yallah l'a appelée à côté de lui.

— De quoi est-elle morte ?

Guibril Guedj Diob fléchit méditativement sa nuque, levant son front. Son visage se noyait dans l'ombre.

— Yallah seul le sait, fils.

— Peut-être était-elle malade ?

— Cela se peut, fils. Tu as peut-être raison, dit le père.

La voix tremblotait. Le jet de lumière était venu mordre le sommet de son crâne : les cheveux crépus, blancs, miroitaient par touches. Il poursuivit, le ton gras d'humilité :

— C'est ça, fils. C'est ça ! Tu as peut-être raison. Assieds-toi.

De la main, il désigna l'endroit: près de lui.

— Non, tonna Tanor.

Ils se turent : le temps s'alourdissait.

— Mère est morte, répéta Tanor.

— Oui, fils. Yallah l'a appelée à côté de lui.

— De quoi est-elle morte ?

— Yallah seul le sait, fils.

— J'ai cherché Khar et ne l'ai pas trouvée.

— Elle doit être dans la maison, fils.

— Non, elle n'est pas dans la maison.

— Tu as peut-être mal cherché.

De nouveau, le silence. Guibril Guedj Diob, cette fois d'un ton de supplication, le brisa :

— Reste à la maison. Tu sais que le toubab-commandant doit arriver et je dois le recevoir. Personne d'autre que moi ne doit et ne peut le recevoir. Un jour, tu dois prendre ma place de chef. Tu as été à la guerre. Et depuis ton retour, nous n'avons pas parlé comme père et fils. Assieds-toi, j'ai des choses à te confier.

En vain, il attendait une réponse. Par contre, comme les premières gouttes de pluie sur un toit de zinc précédant un orage fiévreux, monta un rire démentiel qui emplit la case. Effrayé, Guibril Guedj Diob en lui-même invoquait Yallah.

— Khar se trouve où ? demanda-t-il après l'éclat de rire.

— Je te le répète, dans la maison, fils. Cherche bien ! Justement, j'ai besoin d'elle. Va me la chercher.

— Non. Elle n'est pas dans la maison. Tu mens.

Guibril Guedj Diob eut un tic du bras. La tête bougea, le faisceau argenté s'accrocha sur ses épaules.

Tanor Ngoné Diob glapit de nouveau :

— Lève-toi.

— Pour quoi faire, fils ?

Tanor Ngoné Diob se gratta la tignasse. Son calot tomba. Il demanda de nouveau :

— Où est Khar ?

— Dans la maison, fils.

— Khar a un enfant ?

— Oui.

— Un garçon ou une fille ?

— Fils, je ne sais pas. J'ai entendu des vagissements d'un bébé dans la nuit.

— C'est pas vrai, s'écria Tanor sortant son couteau.

— Qu'est-ce qui n'est pas vrai, fils ?

— Khar, elle n'a pas d'enfant. Elle n'est pas mariée. Je veux savoir où est ma mère.

La certitude que son fils était fou n'avait jamais été un doute pour le père. Mais il gardait son calme.

— Je veux voir ma mère.

— Elle est dans la maison, fils.

— C'est vrai ?

— Oui. C'est vrai, fils.

— Elle n'est pas dans sa case.

— Elle ne doit pas être loin. Peut-être qu'elle est avec Khar, fils.

— Ne m'appelle plus fils. Je ne suis pas ton fils. Disant cela, Tanor fit deux pas vers lui et reprit :

— Elle ne m'aime pas.

— Si, elle t'aime. Khar aussi t'aime. Je crois avoir entendu leur voix.

Tanor tendit l'oreille. Un sourire innocent effleura sa figure.

— J'ai rien entendu, dit-il encore.

— Moi, si.

— Tu veux me chasser ?

— Non, fils.

— Je ne suis pas ton fils, gronda Tanor. Mère est morte. Elle ne m'a rien dit. Tu mens.

Cette dernière réplique blessa l'orgueil paternel.

— J'entends sa voix, redit Tanor.

— Tu entends sa voix ?... Qu'est-ce que j'avais dit ?

— Tu me chasses ?

Et, subitement, Tanor Ngoné Diob se mit à soliloquer. Il y était question de : " *Vui, mon cap'taine. Non, mon cap'taine. Lis Viets z'ont près di li zizière. Vos z'o'des, mon cap'taine* ", puis en volof : " Pourquoi veux-tu aller dedans ? Laissez-les crever. Si tu es tué, tintin. Tu ne toucheras rien. Ta famille non plus. Planque-toi. Rien vu ! Compris, han. "

Guibril Guedj Diob écoutait son fils. Ce fils dont il avait été fier. Lui-même l'avait inscrit pour le service militaire quand les agents du service de recrutement étaient venus. Après huit années de service, ce fils lui revenait des rizières d'Indochine et des djebels du Maghreb après des séjours dans toutes les maisons d'aliénés pour militaires.

Le node de tacousane retentit.

— Ta mère t'appelle, fils.

— Tu me renvoies.

— Non. Je dis vrai. Voilà, c'est le moment de la prière. Nous allons la faire ensemble comme avant.

— Non... Je ne prie pas.

La pointe du couteau avançait ; Guibril Guedj Diob leva son bras. Tanor, rompu au corps à corps, le projeta par terre et plusieurs fois, la lame monta et descendit.

On dit que ce vent qui, par intermittence de son haleine fraîche, caresse le visage des gens, est l'œuvre des femmes de *Ouroulaïnï*[1], demeurant au paradis de Yallah et y attendant les futurs élus. Soit !... Les femmes de ouroulaïnï s'agitaient et en quantité.

Au centre du peinthieu, Tanor Ngonć Diob exécutait sa manœuvre militaire, allant, venant, s'arrêtant avec force grimaces. Il se mit au garde-à-vous, la main à la hauteur de la tempe et sifflotant : *Aux morts*.

— Tâ â â tati tâta a tati.

Les bambins l'entouraient, l'imitant ; le chien les regardait, couché sur un flanc, assailli par les mouches.

De Ndiobène, un homme sortit et presque en courant se dirigea vers la mosquée. Après s'être déchaussé devant le seuil, il franchit les rangées des fidèles et parla à l'oreille de l'iman ; celui-ci, immobile, les lèvres écartées, papillonna des cils d'un air sidéré; s'étant d'un tiers retourné, il s'adressa aux autres :

— On nous fait part du décès de Guibril Guedj Diob. Il a été tué par son fils, Tanor Ngoné Diob.

---

(1) *Ouroulaïnï*: les femmes du paradis qui dit-on n'ont rien à voir avec celles-ci. Elles sont destinées en récompense aux élus.

Des faisceaux d'yeux se braquèrent sur l'axe du peinthieu. En hâte, ils sortirent de la mosquée pour se retrouver de nouveau à Ndiobène, au milieu des pleurs des veudieu (co-épouses).

Chacun commentait.

— J'ai toujours dit, même prédit, que Tanor Ngoné Diob tuerait un jour.

— C'est ça qu'il nous a rapporté de ses guerres.

— Il n'y a appris qu'à tuer.

— C'est pas inquiétant, ça ? demanda Sému.

— Quoi ? fit Palla.

— La mère qui se suicide, un fils parricide, un enfant incestueux. Maintenant, il ne reste plus de doute sur l'état de Tanor Ngoné Diob.

— C'est la fin de notre village. Yallah, merci que je parte vite, opina Amath.

— Je pense réellement quitter Santhiu-Niaye, dit Badièye.

— Toi aussi ? interrogea Sému, baissant le ton. Il n'y a plus rien à faire à Santhiu-Niaye. Voilà les femmes de ouroulaïnî. Que Yallah nous fasse bénéficier de leur fraîcheur.

— Amine !... Amine ! dirent les autres.

L'ombre de l'arbre s'allongeait du côté de l'est ; trois hommes, venus encore de Ndiobène, se saisirent de Tanor Ngoné Diob. Ils le ligotèrent à une grosse branche morte au milieu de la maison, devant tous. Tanor Ngoné Diob immobilisé continuait à soliloquer ses souvenirs de guerrier.

Déthyè Law aidé de Baye Yamar firent la toilette mortuaire : le corps de Guibril Guedj Diob enveloppé dans un linceul blanc comme un objet inerte, après la prière des morts porté par quatre de ses pairs, dépassait les crêtes des palissades.

Medoune Diob, l'ombrelle de son aîné fermée, à

la main ; l'iman, Baye Yamar suivaient ; derrière, le cortège psalmodiant le chant des morts.

— *Allah !... Allah !*

— C'est la première fois depuis huit ans que je vois Guibril Guedj Diob sans son ombrelle, dit Palla à Badièye.

— Moi aussi. C'était un cadeau de Tanor Ngoné Diob.

— Medoune Diob en a hérité.

— Il prendra le tout. Et il est chef du village maintenant. Demain, c'est lui qui recevra le toubab-commandant, et les dix pour cent de l'impôt.

— Tu as compris, han ! Il ne faut rien dire au toubab-commandant, quand il sera là, de cette histoire. Voilà pourquoi on l'enterre vite, dit Palla.

Et il entonna :

— *Allah !... Allah!*

Le lendemain arriva le toubab-commandant accompagné de son interprète et de deux gardes-cercle. Ils furent reçus sous l'arc de triomphe en feuilles de palmier par Medoune Diob, l'iman, Baye Yamar.

— Déthyè Law s'était déclaré souffrant. Medoune Diob, richement vêtu, arborait l'ombrelle.

Le toubab-commandant, l'interprète et la notabilité s'isolèrent à Ndiobène, pour s'entretenir.

Medoune Diob, à la question du toubab-commandant, répondit :

— Guibril Guedj Diob est mort.

Le toubab-commandant répliqua :

— C'était un bon chef. Et son fils, Tanor ?

— Il est parti en ville, comme tous les jeunes gens.

L'ombre du regret étala son empire sur le visage du toubab-commandant. Et, en repartant, devant tous, il remercia les anciens et leur dit du bien du nouveau chef qu'ils avaient choisi. Puis, le toubab-comman-dant repartit satisfait, l'impôt serait payé dans un délai de trois mois.

Medoune Diob, en tant que chef, était engagé.

Deux jours avaient passé; sous l'arbre, étaient réunis l'iman, doctement installé en tailleur, le chapelet en main; Baye Yamar, portant plus haut sa chéchia de tirailleur; Biram, la figure désossée; sur la chaise longue, les bras croisés sur la traverse de tête, Medoune Diob : ce dernier, d'un ton de circonstance, affable et paternel, de temps en temps, se mêlait à la conversation.

Un peu à l'écart, les éternels yothékat : Badièye et Gornaru, taciturnes, se livraient à leur sport favori.

—Déthyè Law, on dit que tu nous quittes ce jour d'aujourd'hui ? demanda Palla qui regardait le yothè.

— Inchallah, Palla, je pars, lui répondit le griot-cordonnier en emballant ses affaires.

— Peut-on savoir où ?

Déthyè Law se redressa. Il regarda fixement l'iman. L'iman soutenait le regard méprisant de l'artisan. Ayant jugé peut-être que le guide spirituel n'en méritait pas plus, souplement, Déthyè se pencha en s'affairant.

Medoune Diob reposa la question :

— Tu ne nous dis pas où tu pars ?

Une partie de la figure de Medoune Diob débordait de la traverse.

— Là où, je l'espère, la vérité sera œuvre d'esprit honnête et non privilège de naissance, répliqua Déthyè Law.

— Vrai, il faut être griot pour avoir cette liberté de pensée.

— La liberté de pensée n'a jamais été un don, ni legs. Elle a toujours été le prix de fortes sommes de sang. Qui s'y oppose en tant que potentat se fera débouter tôt ou tard.

— Et ici, empêchait-on cette liberté ?

— Non… Vrai, non!… C'est très tôt. Mais la base même de notre communauté est faussée. Si on ne le dit pas maintenant, on le dira un jour. Tu n'es pas chef. Tu es l'assassin de ton frère, et notre communauté n'a plus son poids.

— Mesure tes paroles, Déthyè Law, l'interrompit Medoune Diob en se redressant vivement.

Son œil alla de l'un à l'autre des notables.

Déthyè Law reprit :

— Qu'avais-je dit ? Personne ne pourra plus dire que la vérité est le faible de Santhiu-Niaye.

— Mes ancêtres ont toujours régné à Santhiu-Niaye. Et les tiens les ont toujours servis.

— Certes, vrai! C'était le temps passé. J'ai hérité de mes ascendants le souci de la vérité et le conserverai jusqu'à la fin.

— Veux-tu dire que tu es de sang noble ?

— Oui. Le sang de la vérité est toujours noble, peu importe sa source.

— Yallah soit loué, il s'en va. C'est le saytané qui parle en sa bouche. Notre village ne se portera que mieux de son absence, opina l'iman.

— Si l'homme perd le courage de dire la vérité, autant mourir. De grâce, qu'il cesse de parler en assemblée. Il n'est pas digne de ce rôle. Il sait que Medoune Diob est l'instigateur de l'assassinat de son frère aîné.

L'iman, nerveusement, serra la perle.

Medoune Diob s'était assis à nouveau.

Déthyè Law, les affaires emballées, les porta sur la tête, et prit la direction de sa maison.

Il fut rejoint par Palla, Badièye, Gornaru. Quelques pas plus loin, ils s'arrêtèrent et gardèrent le silence.

— Sans toi, ce sera le vide, débuta Gornaru. Tu n'as jamais donné ton cœur pour les départs individuels. Pourquoi partir ? Crois-tu être plus blessé que nous ? Ton node fait partie de Santhiu-Niaye.

Moi aussi, Gornaru, je pars à contrecœur. Je suis comme tout un chacun, j'ai peur de l'inconnu. Mais j'attache beaucoup de respect à ma personne. Griot n'est pas synonyme de servitude. Vous êtes de sang plus élevé, mais il y a des faits qu'on ne doit pas accepter, même si on est de condition inférieure. On ne doit pas accepter certaines choses, même si cela doit mettre en péril sa vie et celle de sa famille.

— Merci du conseil, renchérit Badièye. J'ai saisi personnellement ce que tu insinues. Tu as toujours dit tout haut ce qu'on pensait tout bas, ou murmurait. Mais tu fuis. Si tu ne peux pas dire la vérité là où tu es né, là où sont tes amis, des parents, là où tu fais un avec tout l'entourage, où la diras-tu cette vérité ?... Ailleurs ? Ailleurs, tu seras un étranger. Qui laisse passer sans la dénoncer une petite vérité, ne se dressera pas pour la vérité qui met en péril sa vie.

— Il n'est pas nécessaire d'être griot pour véhiculer la vérité. Il se trouvera toujours quelqu'un qui s'offrira pour. Moi... moi, j'ai peur.

— Ce courage moral de dire la vérité, hier, était l'apanage des griots.

— Tu dis avant...

— Que Yallah te garde, Déthyè Law! dit Badièye en s'éloignant.

— Amine! Vous aussi, que Yallah vous assiste!

— Nous feras-tu ce node de tisbar ? demanda Palla.

— Jamais plus, celui-là là-bas ne sera plus mon iman. Je préfère prier hors du village.

Ceci dit, Déthyè Law poursuivant son chemin entra chez lui.

Quand Déthyè Law ressortit, précédé de sa femme, Gnagna Guissé, et de ses enfants, c'était le ndiolor passé. Au peinthieu, seule restait la chaise longue; le chien chassait les mouches. Ils traversèrent l'aire en file indienne, gagnèrent la sortie en direction du couchant sous cette averse de mercure.

Lorsqu'ils furent hors du village, Déthyè Law ordonna à sa femme de l'attendre sous les palmiers. Lui, il monta sur la dune. Là, il apercevait les sommets des toitures. Il mesura le temps : c'était l'heure de l'appel à la prière; la main en entonnoir, il poussa son node.

Le vent s'abattant vers Santhiu-Niaye fit entendre à tous le node. Un par un, par deux, ils convergèrent vers le peinthieu. Badièye, Palla, Gornaru, Sému en grand palabre arrivèrent devant la mosquée. L'iman, assis, le buste penché en avant, occupait sa chaire. Medoune Diob déposa l'ombrelle à l'entrée avec ses babouches.

Des yeux, Gornaru interrogeait, indécis. Quand, d'un coup, Palla, seul, d'un côté, la main à la hauteur des tempes, dit pour commencer la prière :

— Allâhou ackbar!

Les autres, silencieux, vinrent s'aligner derrière lui. Stupéfait, l'iman redressa son buste, les regarda, puis regarda derrière lui où ne se trouvaient que Medoune Diob et Baye Yamar. Voyant Massar se joindre aux autres, l'iman baissa davantage sa nuque.

Medoune Diob aussi avait vu. Ses yeux allaient de l'iman aux autres. Il ne savait quel parti prendre. Quand les autres eurent achevé, après les chapelets, ils se serrèrent les mains plus fortement que ne l'exigeait leur croyance. A son tour, sans prier, l'iman partit, laissant Medoune Diob.

C'est à ce moment qu'ils virent Déthyè Law avec sa famille. Et ce soir-là, au palabre, disant que le griot avait fui, celui-ci répondit :

— Non!... Non! Je voulais savoir si le Sénégal a encore en son sein des hommes de valeur. Car, je sais que quiconque, pour une fois, une seule fois, refuse de témoigner pour la vérité, dans son propre pays, ne doit pas voyager. Car, de l'étranger, on n'a que son pays comme habit moral.

Aussi, à ce palabre, après l'exclusion de Medoune Diob, il fut décidé de chasser du village Khar Madiagua Diob — la fille mère.

Tôt, le matin, étaient sorties de Santhiu-Niaye, Gnagna Guissé et Khar Madiagua Diob. Sur le sol recouvert de la rosée nocturne, s'imprimaient leurs pas en un long tracé, ondoyant, montant, descendant les dunes. Elles ne disaient rien. Gnagna Guissé ouvrait la marche. Khar Madiagua Diob, un ballot sur la tête, et le bébé sur les bras, suivait.

Le soleil levant mordait à ras l'horizon. Le nid de palmiers projetait la touffe de son feuillage emmêlé sur la surface du lac en verre dépoli.

— Nous sommes arrivées. C'est ici qu'on se sépare. Tu continues sur ton front. Une fois au bord de la

mer, prends sur ta gauche. Pas de doute, tu ne ren-
contreras personne de Santhiu-Niaye.

Khar Madiagua Diob acquiesça d'un hochement de
tête.

— Comment sera ta vie, maintenant ? Yallah seul
le sait. Là où tu iras, personne ne saura, et personne ne doit savoir. Evite de parler de certaines
choses. Ce que tu laisses derrière toi, tu le sais. Devant, ce qui va venir et doit venir, on ne le sait
pas clairement. Yallah seul le sait. Mais ta vie sera
ce que tu en feras. Souviens-toi que, partout, tu seras
avec tes semblables, des êtres humains. Si tu des-
cends des Thiandum-Thiandum, tu ne peux pas vivre
tout le temps ruminant ta rancune. Tu empoisonne-
rais ta vie et celle de tes voisins. Non plus n'oublie
pas : l'être a pour remède l'être.

Après une pause, Gnagna Guissé reprit :

— Tu es orpheline, maintenant. Donc majeure, et
mère. Si, comme tu me l'as dit, tu es victime de ton
père, il n'en restera pas moins que tu es mère. Cette
boîte que je te remets contient tout l'or des Thiandum. Ta mère en avait hérité de la sienne le jour
de son mariage. Elle avait bâti son espoir dessus.
Elle pensait pouvoir te les remettre comme elle les a
reçus le jour de son mariage. Yallah ne l'a pas voulu
ainsi. Tu n'hérites pas de cet or. C'est pour la fille :
Véhi-Ciosane Ngoné Thiandum. Je te confie à la
garde de Yallah.

— J'accepte sa protection.

— Va! Que Yallah veille sur vous deux!

Gnagna Guissé resta là jusqu'à ce qu'elle ait disparu de sa vue, murmurant :

" Yallah fasse que, si cet enfant n'est pas de
naissance noble, qu'il le devienne et le soit de conduite. D'eux naîtra le nouveau. "

La griote ressassait. Elle n'aurait pas cru à cette

histoire, ni à la rapidité des événements, si elle l'avait .enue d'une autre. Au milieu de la nuit, quand la fille s'était délivrée, elle s'était rendue dans la case de son guélewar. Ngoné War Thiandum gisait, inerte, à la main l'araignée du niaye et une touffe de racine venimeuse. Elle approcha la lampe à pétrole qui était restée allumée. La bouche de son guélewar était ouverte, recouverte d'une mousse verdâtre. Elle essuya les lèvres, fit disparaître araignée et racines avant de faire part de sa découverte à la famille Ndiobène, puis aux grandes personnes de Santhiu-Niaye.

Khar Madiagua Diob, avec son bébé, s'acheminait. Les dunes, inégales, se succédaient. Le soleil était sorti depuis longtemps des lymphes de l'aurore, et avait arraché aux derniers creux les restes de l'ombre. Haut, il plafonnait. Toute la matinée, en proie à un sentiment morbide contre lequel elle luttait, Khar Madiagua Diob s'était convaincue de l'immoralité de son acte en gestation.

Enfin, elle finit par choir sous un sump, après avoir éloigné les épines qui jonchaient le dessous; l'idée d'abandonner Véhi-Ciosane Ngoné Thiandum envahissait son esprit. Assise, les jambes repliées comme autour du plat commun, elle haletait. Une froide coulée de sang pénétrait son corps. Les larmes débordèrent de ses paupières : à travers les voiles de larmes, le niaye, immense, s'ouvrait. Crainte ? Hystérie ? Colère ? Nerveusement, tout en elle tremblotait. Elle leva son front étroit — obstiné vers les interstices des minces feuilles, en mordillant sa lèvre inférieure. D'un geste qu'elle s'imposait — mais maternel ! elle amena l'enfant sur ses genoux, changea les langes.

Sous le sump, elle attendit que le soleil ait perdu son mordant. Après s'être restaurée, elle reprenait son chemin, ruminant tout le temps sa colère.

Elle passa la nuit dans un bois, tantôt dormant, tantôt éveillée. Les étoiles par milliers scintillaient.

Le lendemain, après tous les préparatifs, le bébé sur les bras, elle reprit sa route. L'idée d'abandonner Véhi-Ciosane la gagnait. A mesure qu'elle avançait, tenace, persistait la senteur iodée des algues ; l'embrun en voile s'étirait le long de l'horizon. Du sommet de la quatrième dune, elle vit la nappe d'un vert foncé qui, au centre, telle une plaque de tôle argentée, miroitait. Elle descendit le versant. Elle avançait sur l'eau ; les pieds nus, marchant sur la plage, elle sentait la tiédeur de l'eau qui lui procurait une douce sensation ; les petites vagues, vallonnantes, riantes avec leurs dentelures mousseuses se succédaient. L'eau lui couvrait maintenant les chevilles. Khar Madiagua Diob regardait de tous les côtés; pas âme qui vive alentour. Elle resta indécise. Crainte ? Remords? Lâcheté ? Amour de soi-même ? Elle se mordillait la lèvre, hésitante. Le bébé sur ses bras vagissait. Elle le laissa pleurer. Les pleurs s'entendaient, couvraient l'étendue de la mer. Dans sa tête, tels des grelots à l'aube, se répercutaient les cris du nourrisson.

Elle revint à la rive, l'allaita et se dirigea vers la gauche. Le soleil les frappait tous les deux par derrière. Il était plus facile de marcher sur le sable de la plage. Elle força un peu son allure. Les tremblements de son corps avaient repris. Au bout de quatre heures de marche, la fatigue lui liait les genoux. Avec ténacité, elle continuait. Loin après le tournant, elle aperçut un point noir. Alerte — forçant son allure —, elle se dirigea vers le point, souhaitant que cela soit des êtres. A deux cents mètres, elle distingua les hommes — deux — qui chargeaient un camion de sable. Arrivée à leur hauteur, elle les salua. Ils lui rendirent son salut.

— Hè! femme, d'où viens-tu ? s'entend-elle demander par un troisième, tenant elle ne savait quoi dans la main.

— Qui ? Moi ?

— Ahan! toi, femme, dit l'homme, un peu plus jeune que les deux autres, sa chemise en toile tombait sur son pantalon européen.

— D'ici, répondit-elle en désignant le niaye.

Les deux manoeuvres qui avaient arrêté leur travail se regardèrent d'un air surpris.

— Et où vas-tu ? demanda de nouveau l'autre.

— Je veux aller à Ndakaru (Dakar).

— Ndakaru ? répéta l'autre étonné.

Elle ne répondit pas. Elle tenait librement son ballot sur la tête. La curiosité de cet homme la rendait méfiante.

— Nous n'allons pas à Ndakaru, redit l'homme en se hissant sur le garde-fou et s'affairant dans le moteur. Il poursuivit : C'est loin, Ndakaru. Je peux te déposer au croisement des routes. Là, tu trouveras un autre camion qui te conduira à Ndakaru. Combien as-tu ?

— Rien.

— Rien ?... Avec rien, on ne va pas à Ndakaru. Ceci dit, le chauffeur se désintéressa d'elle.

Elle resta debout, jetant de biais des regards dans sa direction.

En cadence régulière, les pelletées de sable tombaient dans le camion. Bientôt, la voix fortement mâle de l'un des deux hommes poussa un : *Djinah o.*

— Mets-toi de ce côté-ci. Il va faire chaud, lui dit le chauffeur.

Elle obéit, s'installa à l'ombre du camion. La chute du sable éveilla le nourrisson qui se mit à pousser des vagissements. Elle le plaça sur son giron et de l'encolure de sa camisole, elle sortit un sein : les pleurs cessèrent.

— C'est un bébé tout frais, dit le chauffeur sur un ton affirmatif.

— Oui.

— Tu vas à Ndakaru chercher du travail ?

— Oui.

— C'est un peu tard sur la saison. J'ai entendu dire que les mères ont plus de difficultés à trouver une place de bonne.

— J'ai des parents là-bas.

Sans s'en rendre compte, son genou rythmait le chant berçant Véhi-Ciosane. Comme des ondes de plaisir qui jaillissaient sur son visage marqué par l'accouchement et la fatigue de la marche, de fins ruisselets de lumière traversaient ses yeux.

— *Patron*, c'est fini, vint annoncer un des hommes.

— En route, alors. Abdu, va derrière. Toi, monte ici avec moi.

— Bien, *Patron*, dit Abdu.

Dans la cabine, le chauffeur lui demanda :

— Une fille ou un garçon ?

— Une fille.

— C'est dommage! Son nom ?

— Véhi-Ciosane Ngoné Thiandum.

— J'ai jamais entendu un nom pareil : *Véhi-Ciosane*... De quel Thiandum est son père ?

Khar Madiagua Diob serra doucement le bébé, tira son ballot sous ses pieds et son regard devant. L'homme, de côté, l'observait. Puis démarra sans avoir de réponse.

L'immensité du niaye d'un côté, de l'autre l'immensité de la mer, au milieu le véhicule avançait, laissant deux traces de roues que la mer léchait.

Cette histoire n'eut pas d'autre fin : c'était une page dans leur vie. Une nouvelle commence, qui dépend d'eux.

Et, si un jour, il vous arrivait d'aller dans le niaye et dans ce village de Santhiu-Niaye, ne leur posez pas de questions. De moi, il vous diront peut-être : Il est venu une fois.

Cette unique fois me suffit.

Ndakaru — Gamu 1965.

LE MANDAT

La sueur collait sa chemise à la peau; avec peine le facteur poussait son Solex dans le sable ; il transpirait, sa figure brillait, le buste en avant, les mains solidement posées sur le guidon, ahanant légèrement la bouche ouverte, il gravissait le mamelon de sable tout en maudissant les habitants et les autorités : " Qu'est-ce qu'on attend pour asphalter cette rue ? " pensait-il.

Des ménagères de retour du marché l'apostrophèrent pour le taquiner :

— Eye ! homme, tu mouilles.

Elles le dépassèrent. Il s'arrêta ; appuya l'engin sur son ventre qui pointait outrageusement ; s'essuya la face avec son mouchoir de cotonnade. Ses yeux ne quittaient pas le dos des femmes ; prestes, légères, les calebasses en équilibre sur la tête, elles semblaient à peine toucher le sol.

Il reprit sa marche d'une allure ralentie.

Presque toutes les maisons étaient identiques : bâties de vieux bois pourri, coiffées de tôles souvent rouillées ou de vieilles pailles jamais renouvelées, ou encore de toile cirée noire.

Le facteur gara son Solex sur le pieu tordu de la porte d'entrée. A son assalamalec, deux femmes assises à même la terre, d'un ton méfiant, répondirent.

Elles le connaissaient, mais par son emploi, l'homme traînait derrière lui un préjugé défavorable.

— Femmes, votre époux, Ibrahima Dieng est-il présent ?

L'une des deux, Mety, qui était l'aînée et première épouse, décocha un regard inquisiteur sur le visage de l'homme puis sur ses mains :

— Qui, dis-tu ?

— Mety, interpella le facteur, Mety, j'habite le quartier et je sais que Ibrahima Dieng est le maître de céans. Je ne suis pas un toubaba (Européen ou Blanc).

— Bah (nom du facteur), qu'est-ce que j'ai dit ?

— Rien en effet... rien qui puisse te conduire en enfer.

— Tu sais toi aussi, que notre homme n'est jamais à la maison à cette heure-ci. Chômer d'accord ! mais se vautrer toute la journée dans nos pagnes, cela non. Tu demandes comme si tu étais un étranger.

— Je dois faire mon travail. Toutes, lorsque vous me voyez, c'est comme si vous voyiez un *alcati* (agent de police).

— Tu es pire qu'un alcati. Il suffit que tu laisses un papier une ou deux semaines pour qu'arrivent les " gens d'impôt " : saisie. Et ici, dans cette maison, tu n'as jamais apporté de bonnes nouvelles.

— Justement, c'est le contraire ce matin.

— Han ! fit Mety en se redressant vivement. Sa camisole s'accrochait à sa trop grande saillie postérieure.

— Bougresse ! dès qu'on parle d'argent vous voilà frétillantes comme des vers. C'est de l'argent.

— Il vient d'où ?

— De Paris... Un mandat.

— Paris ? Qui Ibrahima connaît-il à Paris ? Tu es

sûr que c'est pour lui ? Bah, ne nous tue pas avec l'espoir.

— Il y a même une lettre avec. Je connais mon métier.

— Tu as entendu, Aram, lança Mety joyeuse à l'adresse de la seconde épouse qui s'était approchée. Elle était plus jeune, maigre, les joues creuses, le menton pointu.

— Un mandat de combien ? demanda encore Aram.

— 25 000 francs (500 francs français).

Elles épiloguaient entre elles sur l'énormité de la somme.

— Yallah est venu, Mety, toi qui te lamentais, disait Aram.

Mety, l'avis et la lettre dans la main, éprouvait comme une douce sensation de puissance, la fortune :

— Une lettre et un mandat ! Qui peut les lui envoyer ?

— Un toubab. A Paris, il n'y a que des toubabs ! Penses-tu, Mety, que notre homme nous dit tout ?

— Si on donnait la lettre à Bah ?

— Non, femmes, non. Mon métier n'est pas de lire ou d'écrire les lettres ; disant cela, le facteur s'éloigna.

Toute la nuit, une pensée commune, une idée fixe les tiraillâ. En pensée, elles avaient fait le tour des boutiquiers du secteur. Toutes étaient débitrices de tous les commerçants

— On ne peut pas attendre le retour de notre homme pour savoir ce qu'on aura ce midi. Je crois, avec cet avis et la lettre, que Mbarka nous avancera bien un kilo de riz, un demi-litre d'huile. Il nous reste un peu de poisson sec et du niébé d'hier.

C'est ce qu'il faut faire, consentit Aram après un court moment de réflexion.

Ensemble elles sortirent, chacune tenant par la main un enfant.

Il n'avait rien demandé : d'où venait ce riz, bien assaisonné avec du poisson sec et du niébé. Il avait mangé à satiété, en se régalant. Magistralement, il émit deux rots et dit : allahou ackbar. Il était assis au pied du lit sur sa peau de mouton.

— Quelqu'un a-t-il un restant de cola ? demanda-t-il sans pourtant, s'adresser à l'une ou à l'autre des femmes.

— Fouille dans le bocal près du nda (canari contenant de l'eau potable) dit du dehors la seconde épouse.

Sous l'effet d'une lourde digestion, il se traîna vers le nda. Le bocal contenait plusieurs noix :

— Aram, ce n'est pas du reste ! Quatre noix de toutes les nuances! Vous n'allez pas me dire que ce matin Yallah a fait pleuvoir des portefeuilles bien garnis, ou qu'une de vous a hérité du père Lebu, lança-t-il aux femmes tout en faisant son choix.

— Non, Dieng ! Non, Yallah, dans sa bonté infinie n'abandonne jamais ses fidèles.

— En effet, femmes ! En effet, allahou ackbar !

Dans son immensité sa bonté est incommensurable. Il nous assiste jour et nuit.

— Attends... attends avant de partager la noix.

Mety entra, déposa devant lui sur la peau de mouton, un petit bol contenant des tranches de papaye dorées, juteuses, nageant dans un soupçon d'eau sucrée.

— Mon fruit préféré ! Lave-moi la cola.

Elle ressortit.

A belles dents, [...]
fondait dans sa bou[...]

— Apportez-moi [...]

— Tout de suite, [...]

Aram apporta un vi[...]
côtés : Elle s'affairait à [...]
se lava encore les mains, [...]
dans la paume de Mety re[...]

Avec peine, il se leva, s'[...]
tant des versets :

— Je me demande si j'aur[...]
dre à la mosquée, se dit-il. [...]

— Il y a un vieux mendiant, [...] am.

Avant de lui répondre, il ch[...]cha une position
confortable, étala ses jambes. Il défendait à ses
enfants et à ses épouses de faire l'aumône aux hommes valides, aux jeunes gens : " Ces deux caté-
gories étaient des parasites, se contentant d'être nour-
ris à l'œil " disait-il. Quand, à la mosquée, ils en
discutaient (entre chefs de famille), il se révélait un
jouteur imbattable, traquait ses antagonistes et réclamait une preuve, un appui se trouvant dans les sou-
rates où il serait écrit qu'il fallait donner à ces gens.

— C'est vraiment un homme âgé ? questionna-t-il.

— Oui.

— Alors donne-lui le reste. Et que Yallah fasse
que tous nos malheurs suivent ce reste.

C'était sa phrase rituelle lorsqu'il faisait l'aumône.

Un vent frais par à-coups soulevait le rideau de
la fenêtre ; selon l'expression populaire, de bienheu-
reuses épouses vivant au paradis, s'éventaient. Dieng,
couché de tout son long, aspira profondément et
bâilla.

— Mety, pardonne-moi, masse mes jambes.
Qu'est-ce que j'ai marché aujourd'hui.

LE MAND[...]

Ne te lamente [...]
abandonnera jam[...]
— Yallah, [...]
— Mety, [...]
l'autre [...]

118

pas, Yallah est grand ! Il ne nous

... Yallah ! Il faut cultiver son champ.

cilement, massait les membres l'un après jusqu'aux reins. Dieng ne tarda pas à s'as- pir. Elle se retira sur la pointe des pieds.

— Tu le lui a dit ? interroge Aram, quand Mety fut revenue prendre place sur la natte.

— Pas encore. Laisse-le se reposer ! Dès l'appel du muezzin je le réveille pour le lui dire, répondit Mety, qui à son tour cherchait une couche pour dormir.

La chaleur, celle du milieu du jour, étouffante, facilitait la sieste.

Il s'était réveillé — après la minute de prière. Il vida sa colère sur Aram et Mety, parlant seul tout haut :

— C'est à croire que je vis dans une demeure d'incroyants, de mécréants. Je me demande si, en mon absence, il vous arrive de prier, vous deux. Et je m'inquiète par avance de la foi de mes enfants.

Aucune ne répondit. Après les ablutions, en bon fidèle et maître de ses épouses, il les guida sur la voie de Yallah. Les deux femmes obéirent à toutes les génuflexions, à quelques pas derrière lui.

La prière finie, il allait sortir, quand Mety, comme une vieille chatte, étirant ses pattes, parla :

— Nidiaye [1], Bah, le facteur, est venu. Tu as une lettre.

— Une lettre ? de qui ? de quelle couleur est le papier ?

— Non, ce n'est pas un papier pour l'impôt.

— Qu'en sais-tu ?

— Bah nous a dit qu'elle vient de Paris. Le mandat aussi.

_____

(1) *Nidiaye*: oncle; ici chéri.

— Un mandat ?

— Oui.

— Qui m'envoie un mandat ?

— C'est ton neveu Abdou. Il est à Paris.

— Ecoute, rentrons dans la chambre. On ne peut pas parler argent en pleine rue.

Dans la pièce, Mety poursuivit :

— Abdou t'envoie 25 000 francs. Il y en a 2 000 pour toi. 3 000 pour sa mère. Les 20 000 qui restent il veut que tu les lui gardes. Il te salue. Il a dit de lui répondre dès réception de sa lettre et du mandat.

— J'espère que tout le quartier n'est pas au courant du mandat.

— C'est-à-dire que... j'ai été avec Aram, dans la boutique de Mbarka. C'est là-bas que j'ai trouvé Mbaye qui m'a lu la lettre.

— Donc Mbarka est au courant...

Dieng leva son menton avec une expression coléreuse :

— ...Tu n'avais pas à faire lire la lettre, pas plus qu'à aller prendre crédit chez ce rapace de Mbarka, sans mon avis.

— On n'avait rien pour ce midi.

— Hier non plus, ajouta Aram. On ne peut pas faire vivre les enfants sans manger. Les enfants ne vivent pas de la faim.

— Quand on est une bonne épouse, on attend l'ordre (ce dernier mot fut dit en français). Maintenant tout le quartier va savoir que j'ai un mandat.

Muettes, elles subirent le feu de colère de leur homme. Il les sermonna vertement. La lettre et l'avis en poche, le front haut, il partit, l'allure seigneuriale.

Dieng avait un faible pour les vêtements. L'ornementation de l'encolure de son grand boubou était

exécutée à la main, une variété de motifs : mariage
de fils de soie blancs, jaunes, violets. Ce désir d'en
imposer à son prochain, ce goût vestimentaire, le
rehaussait toujours d'un degré sur son interlocuteur,
dont la seule valeur, pour lui, était basée sur sa
présentation, sa tenue.

A l'angle des deux rues, la boutique de Mbarka
penchait de côté, elle était minable de l'extérieur, et
l'intérieur ne valait guère mieux. Les marchandises
engorgeaient les étagères branlantes, retenues seulement par des fils de fer ou des lanières de cuir.
Le soir, les mouches y élisaient domicile, en grappes.
Le comptoir en bois poreux était couvert d'une couche de poussière.

Lorsque Dieng enjamba la traverse, d'un ton poli,
tous les deux déversèrent leur flot de salamalecs.

— Mety est venu tantôt reprendre des choses. Ai-
je bien fait de la satisfaire ? questionna le commerçant.

— Tu as bien fait. Justement je viens de recevoir
un petit mandat qui va me permettre de dégager mon
nom, dit Dieng, piqué. Peux-tu me dire combien je
te dois ?

— Que Yallah me pardonne et pardonne tous
les croyants, de la pensée que tu sembles me prêter.
A moins que j'aie mal entendu... Entre voisins, j'estime qu'il est préférable de se consulter avant que
des oreilles étrangères n'aient à savoir. Pourquoi me
demandes-tu la note ? Ce n'est pas pour ce mandat !
Si j'ai dit à Mety de te demander de passer, c'était
pour te dire que j'ai reçu du riz. Du nouveau riz à
gros grain.

Avec ses yeux globuleux, aux cils hérissés, il jeta
des regards à droite et à gauche ; il se pencha vers
Dieng, déplia précautionneusement un carré de chiffon rouge où étaient logés de beaux grains de riz

épais. Le commerçant se penchait, la voix basse sans expression, il continuait :

— C'est du riz d'Indochine ! Pas du riz américain, ni français. Ce riz est plus économique que tous les autres ! J'en ai juste pour mes clients attitrés comme toi.

Le front de Mbarka se rida, son œil de mouton, humide, brillait. Dieng, mollement, tenant à conserver son avantage, du bout des doigts toucha les grains ; jusqu'aux extrémités de ses cheveux, un frisson intérieur, une impression électrique le traversa.

Mbarka examinait le visage de son client :

— C'est ce riz que tu as mangé à midi. Qu'en dis-tu ? Sa digestion est rapide. A la préparation, il ne colle pas comme le riz toubab. C'est pas amidonné ! Tu vois ces facettes, elles sont naturelles. Qu'en penses-tu ? Je te mets quinze kilos de côté, je ne pourrais pas plus, finit-il de dire en repliant le chiffon.

— C'est combien le kilo ?

— Même prix ! Yallah est mon témoin que j'ai " graissé " des gens pour obtenir ce riz… Cette qualité ! Et pour qui ? Pour vous, mes amis. Crois-tu que je vais profiter de toi ? Si seulement je te disais le nombre de gens qui me doivent, tu comprendrais que je n'ai pas de bénéfice avec vous. J'estime seulement que je dois récupérer mon argent. Je préfère perdre le bénéfice des quinze kilos que de perdre ton estime.

Mbarka avait convaincu Dieng. Pour son compte, il n'avait qu'à repasser dès son retour de la poste. Afin de lui prouver son amitié, Mbarka croqua avec lui la cola et dit mi-plaisant, mi-sérieux :

— Dégage vite ton riz ou je le donne à un autre qui paye comptant.

Dieng ne se le fit pas répéter deux fois. A un garçonnet qui passait il dit :

— Fais-moi venir ta mère Mety.

Sans perdre le dessus, il " tapa " Mbarka de
cinquante francs pour payer son transport.

A peine sorti et traversant la rue Dieng se fit
arraisonner par ce flibustier de Gorgui Maïssa. Un
" franc tapeur " de voisin.

— Ibrahima... Dieng.

— Maïssa... Fall ! Comment te portes-tu !

— Alhamdoulillah !... Et les tiens !

— De même, alhamdoulillah !

La tête de Gorgui Maïssa était ronde malgré son
bonnet en cotonnade tissé à la main, son front saillait ; son caftan flottait.

Quelques mètres plus loin sur le talus Bah le
facteur apparut, poussant son Solex, la chemise dé-
boutonnée, il n'avait rien dessous ; son ventre bal-
lonnant autour de ses reins s'affaissait vers les genoux.
Après les salutations d'usage, ils s'acheminèrent côte
à côte.

— Tu as vu ta lettre et le...

Le facteur n'acheva pas. Le coup d'œil que lui
lança Dieng lui rappela " que dans la rue, on ne
parle pas de sous ". Quand même Dieng acquiesça
d'un :

— Ahan !

— Des nouvelles d'où ?

— D'un neveu.

— C'est toujours agréable de savoir que de plus
jeunes pensent à nous. C'est à eux d'assister maintenant les plus âgés ! Hélas, moi, mes neveux m'ignorent. Je ne reçois rien de personne.

— Que veux-tu, moi on me donne et j'apporte.
Je suis commissionnaire de tout le pays, dit Bah qui
se sentit visé.

— Je ne parlais pas pour toi.

— Je suis un peu en retard. A tantôt à la mosquée, dit encore Bah en enfourchant son engin.

Dieng s'inquiétait de la présence de Gorgui Maïssa : " Sait-il que je vais à la poste ? Et comment l'ignorerait-il, chez Mbarka c'est la place publique ! Rien n'est un secret. "

— Sais-tu que Mbarka a reçu du très bon riz ? Du riz d'Indochine !

— Non, répondit Dieng.

— Comment ?... C'était pour cela que je ne suis pas venu vous déranger. Mbarka aime les secrets qui n'en sont pas.

— J'étais dans la boutique pour vérifier mon compte, dit Dieng de son timbre le plus naturel. " Il va penser que j'ai de l'argent. Où va-t-il d'ailleurs ? " réfléchissait-il.

— Je te l'apprends alors, à moi il a refusé de faire crédit. Mais toi, dès notre retour vas-y. Il le vend sous le comptoir. C'est un filou, ce Mbarka. Tu lui dois cent francs, tu n'as pas fait deux pas que c'est le double. Il te sucerait les os d'un cadavre centenaire.

La conversation s'engagea. Tous deux reconnurent qu'ils ne vivaient et ne faisaient vivre leur famille que grâce à ses crédits ; les prix étaient majorés.

— Ce monde est amer pour nous, ponctua Gorgui Maïssa.

Arrivé à l'arrêt facultatif des *rapides* (autocar), Dieng demanda :

— Où vas-tu Maïssa ?

— Je vais avec toi, répondit-il en se hissant le premier dans le véhicule.

L'air torride mêlé à l'odeur suffocante des tuyaux d'échappement rendait l'atmosphère viciée, le carrefour fourmillait de gens dépenaillés, loqueteux, éclopés, lépreux, de gosses en haillons, perdus dans cet océan : une eau potable contenue cherchait à se vider dans un autre bassin plus propre. Les véhicules attelés à des essieux grinçaient ; des autos, des vélomoteurs faisaient un bruit assourdissant. Un vieux mendiant, finaud, tendait son bras, et cinq doigts rongés par la lèpre aux occupants des voitures immobilisées par le feu rouge ; à même l'asphalte, une aveugle, mère d'une fillette, s'époumonait d'une voix de fausset, filtrant à peine.

Ensemble, Dieng et Gorgui Maïssa entrèrent dans la poste ; devant chaque guichet des personnes attendaient. Gorgui Maïssa se renseigna et mena Dieng devant le guichet " MANDATS ". Là aussi, une queue se déployait, avec au bout, une grosse mémère. Fatiguée sans doute et à bout de patience, elle s'était assise à même la dalle, indifférente. Elle ressemblait à une souche de chair sans forme tant ses traits étaient effacés.

Appuyé contre le comptoir Gorgui Maïssa, le regard concupiscent, observait l'employé aux mandats qui comptait les billets.

Le temps passait :

— Surveille ma place, je vais faire lire ma lettre.

Placé du côté des boîtes à lettres, le scribe le reçut. Il allait refuser la lettre, mais Dieng lui fit comprendre que c'était sa femme qui l'avait ouverte, croyant qu'elle était sienne. Le plumitif, le nez en pied d'éléphant chaussé de lunettes à monture de fer qui glissaient, le regarda par-dessus ses verres : il était âgé.

— La lettre vient de Paris, de ton neveu, Abdou.

Il lut :

Paris, 19 juillet 196...

    Cher oncle,

Je t'écris pour te demander de tes nouvelles et l'état de santé de toute la famille. Quant à moi, Dieu merci, tout va bien, je souhaite et prie Dieu qu'il en soit de même pour vous tous. Je profite de la présence de mon ami Diallo, fils de Modou, pour t'écrire.

Comme tu l'as sans doute appris, je suis à Paris. Dieu merci je me porte bien. Je pense à vous jour et nuit. Je ne suis pas venu en France pour faire le vagabond, ni le bandit, mais pour avoir du travail et gagner un peu d'argent et aussi, s'il plaît à Dieu, apprendre un bon métier. A Dakar, il n'y a pas de travail. Je ne pouvais pas rester toute la journée, toutes les années assis. Quand on est jeune cela n'est pas bon. Pour venir j'ai emprunté de l'argent. Il est vrai que je n'avais rien dit, ni à toi ni à ma mère, de mes pensées. Rester là à regarder ou à vivre de l'air du temps, je ne le pouvais pas. Maintenant, je suis en âge de me marier, d'avoir une femme pour moi. L'argent que j'avais emprunté, je l'ai remboursé. C'est pour cela que depuis mon arrivée en France, je n'avais pas écrit ni envoyé de l'argent à personne, Dieu merci, maintenant ma voie est propre. Il ne faut pas écouter ce qu'on raconte. Si en France on est perdu, c'est qu'on le veut.

Après mon travail, je rentre et fais mes cinq prières. S'il plaît à Dieu et son prophète Mohammed, jamais une goutte d'alcool n'entrera dans ma bouche.

Ce mandat de 25 000 francs C.F.A., je te l'envoie. Garde-moi les 20 000 francs. Tu donneras 3 000 francs à ma mère et tu prendras 2 000 francs pour toi. Je sais que tu ne travailles toujours pas. J'ai écrit à ma mère. Dis-lui que je me porte bien.

Je salue tante Mety, tante Aram et les enfants. La prochaine fois j'enverrai quelque chose aux enfants. L'argent, garde-le-moi. S'il plaît à Dieu je vais revenir au pays. Ne m'oublie pas dans tes prières.

Je te salue, ton neveu.

Abdou.

En même temps qu'il lisait, il traduisait en volof. Pendant la lecture, était venu un mendiant, les yeux pisseux, guidé par un gosse, ne répétant que " *Ngir Yallah* ", à la grâce de Dieu.

L'écrivain rendit la lettre et dit :

— Cinquante francs.

Dieng se fouilla. Il ne lui restait que dix francs. Son voyage avec celui de Gorgui Maïssa avait grevé son budget de quarante francs.

J'encaisse mon mandat et je viens te régler.

— De quoi crois-tu que je vis ? demanda l'écrivain. Il observait son client avec méfiance.

Dieng lui tendit l'avis.

— Bon, je t'attends, dit-il, convaincu.

La grosse femme était partie, ruminant sur sa perte de temps, bien qu'elle eût obtenu satisfaction. Dieng se présenta au guichet, le préposé, après avoir extrait une fiche, la compara à l'avis.

— Ibrahima Dieng, ta carte d'identité.

— Homme, j'ai pas de carte d'identité, j'ai mon reçu d'impôt, ma carte d'électeur.

— Y a-t-il une photo ?

— Non... Non.

— Donne-moi quelque chose, où il y a ta photo ! Permis de conduire, livret militaire ?

— Je ne possède rien de cela.

— Alors va chercher une carte d'identité.

— Où ?

Derrière le guichet, ne dépassait qu'une boule ovale noire, mal proportionnée sur des épaules de phtisique. L'employé, à la question " Où ", leva sa figure sur lui, une figure fermée. Les commissures de ses lèvres étaient dures. Jusqu'au cou, il n'était que sévérité. Il impressionnait Dieng.

— J'ai, moi, une carte d'identité, intervint Gorgui Maïssa en avançant son bras, sa carte entre le pouce et l'index, regardant droit l'employé.

— Est-ce que le mandat est en ton nom ?

Gorgui Maïssa ne répondit pas. Après quelques secondes d'inertie, il retira son bras.

— Eloigne-toi d'ici, tonna l'employé. Ibrahima Dieng, tu me donnes ta carte d'identité ou non?

— Homme, j'ai pas de carte, répondit Dieng d'un ton chevrotant.

— Va la chercher.

— Où ?

Ils se dévisagèrent. Il sembla à Dieng qu'un air moqueur naissait aux paupières du fonctionnaire. Dieng souffrait. Une sueur froide d'humiliation lui venait. Il sentait une morsure cruelle sur lui. Gar-

dant le silence, en tête lui revint cette remarque qui
circulait dans tout Dakar chez les petites gens :
" Il ne faut pas indisposer les bureaucrates. Ils font
la pluie et le beau temps. "

— Va à la police de ton quartier, finit par conseil-
ler l'autre en lui rendant l'avis et ajoutant : " Le
mandat est ici pour quinze jours. "

Gorgui Maïssa et Dieng, traînèrent un temps
devant le guichet.

Ils allaient sortir :

— C'est ça que tu viens me payer ?

C'était l'écrivain public qui l'empoignait par la
nuque.

— Quoi ?...

— Quoi ?... Mon travail !

— Demande ton dû sans crier, ni me chiffonner,
dit Dieng en lui ôtant les mains de ses boubous.

— Homme, nous n'avons pas encore perçu le
mandat. Il n'a pas sa carte d'identité, ajouta Gorgui
Maïssa pour calmer le plumitif.

— Cela ne me regarde pas.

— Ne crie pas, l'interrompit Dieng hautain. Yallah sait que je n'ai pas cinquante francs. Je vais
à la police et revient te payer. Je ne me sers jamais
du bien d'autrui. Je suis croyant, moi !

— Croyant ?... Profiteur, oui. Va chercher du travail au lieu de faire le faux marabout, persifla l'écrivain en regagnant sa place.

Que se passait-il ? Dieng n'en savait rien, mais en
descendant les marches, il se sentait humilié. Devant
la poste, la rangée des mendiants disposés comme
des pots de fleurs fanées, tendaient qui la main, qui la
sébile, poussant leurs complaintes. Dieng demanda
à Maïssa de voir s'il n'était pas chiffonné et sali
derrière, en arrangeant ses vêtements.

— Si on poussait jusqu'à la police, est-ce qu'on aurait le temps de revenir pour le mandat ?

Gorgui Maïssa ausculta le ciel, l'ombre des platanes, sa montre de poche :

— Cela est possible.

— Je veux dire à pied.

— Ça change tout.

Bien que la présence de Maïssa lui apportât un soutien moral, il pensait à ses cinquante francs. Seul, il serait allé et revenu en rapide.

— Tu viens avec moi ?

— Oui, répondit Maïssa étonné de la question.

" Je vais forcer l'allure, il compte sur le mandat. Quelle guigne ! "

Gorgui Maïssa trottait derrière.

Il avait appris à la boutique que Dieng avait reçu un mandat. Voulant le " taper ", il s'imposait. C'était sa tactique. Il comptait sur une somme de cinq mille francs au moins . En quittant son logis, il avait dit à l'une de ses femmes :

— Attends-moi, je vais revenir avec la dépense journalière.

Exténués, transpirants, ils traversèrent la cour du commissariat. Gorgui Maïssa, sans hésiter se laissa choir sur le perron circulaire qui ceinturait l'immeuble : une vieille villa du type colonial, affectée à l'usage de la police. Sur le perron, en différents endroits, des groupes de personnes palabraient; près d'une porte se tenaient deux agents, la tenue négligée, les jambes longuement étalées ; l'un indiqua d'un ton accablé :

— Carte d'identité ?... Là...

Dieng s'engagea dans un couloir.

— Eye !... où vas-tu ?

Effrayé, il sursauta. La voix n'avait rien de normal

ni d'humain. Dieng se retourna... Rien... Sur ses
gardes il fit quelques pas.

— Eye ! c'est à toi que je parle. Où vas-tu ?

Ce timbre caverneux s'adressait bien à lui. Il
tressauta, quand, ferme, une main le secoua sans
ménagement.

— Ne sais-tu pas que c'est défendu d'entrer ici ?

Un spasme de rage, de colère contenue le saisit
pendant un moment, paralysant sa langue, ses réfle-
xes. Une sensation de soif nouait sa gorge. Il fit un
grand effort sur lui pour ravaler sa salive. Tourné vers
lui, aux trois quarts, il vit ce visage : un visage taillé
dans un bois calciné, mal fini, avec des lèvres lippues.

— L'homme là, m'a dit que c'était ici, les cartes
d'identité, répondit-il d'une voix qui trahissait une
crainte excitée.

— Dehors ! hurla le gars : *Aïtia cibiti*.

Décontenancé, mordillant sa lèvre inférieure, lis-
sant de-ci, de-là son boubou, replaçant son bonnet
d'elhadj, à pas lents il sortit.

— Paie une noix, c'est ainsi que l'accueillit Gorgui Maïssa.

Dieng le toisa avec mépris avant de lui remettre la
piécette et vint se joindre à la queue.

— On a le temps pour la prière du tacousane,
lui dit Gorgui Maïssa.

Maïssa officia en iman. Il fut expéditif. Dieng
alla reprendre sa place, emportant un quartier de cola.
La queue n'avançait pas.

On murmurait son mécontentement sur la lenteur du service.

D'un coup, la voix de Gorgui Maïssa couvrit les
divers bruits. Il s'était changé en griot, ressuscitant
la haute lignée " *garni* " (noble) d'un jeune homme
habillé à l'européenne : beauté des femmes de cette
lignée, générosité démesurée et bravoure des hom-

mes, noblesse de leur conduite qui rejaillissait sur ce
jeune homme, sang pur, des plus purs. Poussant
des pointes de sa voix cassée, il était intarissable ; d'un
volof élevé il brisa la dernière résistance du jeune
homme, pourtant récalcitrant aux éloges tradition-
nels.

On l'écoutait. Le gars visiblement gêné, avec des
gestes d'emprunt tentait de freiner cet aède imprévu.

— Je ne chante pas pour l'argent. Lorsqu'on a
retrouvé son *sanga* (maître) en pareil lieu, il est
bon de le faire connaître aux gens de ma condition.
Pour l'argent je ne chante pas. Je veux garder toute
chaude la tradition, vocalisait Maïssa.

Vaincu, le jeune homme lui glissa un billet de cent
francs. D'une gamme, Maïssa éleva la voix quand
le gars se retira.

— Tu le connais ? lui demanda Dieng, quand le
calme fut revenu.

— Connaître ! Tu es bien naïf. D'ici, j'ai entendu
son *santa* (nom de famille) et j'ai brodé dessus.

— J'ai compris que tu mélangeais les santa et les
lignées.

— Lui pas, il était content qu'on parle de lui.
Tu ne sais rien de la vie d'aujourd'hui.

— Non, avoua Dieng sidéré de ce manque de
dignité de Gorgui Maïssa qui se faisait griot.

— Lui non plus. On perd son temps ici, ajouta
Maïssa l'esprit ailleurs.

Arriva le tour de Dieng.

Derrière la fenêtre-guichet, apparut un adolescent,
les cheveux coupés presque à ras, une paire de lunettes à la Lumumba, ce qui conférait à ce visage
juvénile un type d'intellectuel indéfinissable.

— Qu'est-ce qu'il y a pour toi ?

— Je veux une carte d'identité.

— Un extrait de naissance, trois photos et un timbre de cinquante francs.

— Voilà fils, expliqua Dieng, en avançant sa tête, le sommet de son bonnet s'écrasant contre le haut de la fenêtre, j'ai un mandat à encaisser et si je n'ai pas de carte d'identité...

A ces paroles il joignit l'avis. L'employé le lui prit des mains. La paire de verres se dirigea vers lui, les yeux très lointains battirent des cils :

— C'est vrai, mais je n'y peux rien. Va chercher ton extrait, les photos et le timbre, vieux, dit-il en français d'un ton impersonnel.

— Un papier pour prouver que c'est moi, j'ai mon dernier reçu d'impôt, ma carte d'électeur, voilà.

— Vieux, pas la peine, répliqua-t-il, en repoussant la main de Dieng. Sans photo, extrait de naissance et timbre je ne peux rien, laisse la place au suivant.

Dieng se redressa. Il se sentit pris de vertige. Des yeux, il chercha Maïssa.

— Homme, ton compagnon est parti. Il a dit qu'il avait une course à faire.

— Comment ?

— Il m'a dit de te le dire.

— Merci, femme, dit-il en descendant le perron.

" Aller à la poste et revenir, c'est pas grimper sur la lune. Où se traîne-t-il ? Au lieu de penser à nous, aux enfants, il va se montrer généreux et l'argent coulera de sa main comme l'eau entre ses doigts. Peut-être a-t-il une gosse en vue ! Une sans-vergogne ! Une qui lui sucera l'argent comme le lait de sa mère. " Mety, tout l'après-midi s'était tenu ce discours. Des voisines et des voisins avaient envoyé leur progéniture une ou deux fois pour savoir si Dieng était de retour. " Des vers ! Dès qu'ils entendent que quelqu'un a de l'argent les voilà comme des vautours. "

Dieng rentra tard, il était allé à la mosquée. Le repas du soir était égal à celui du midi. Les deux épouses devançaient ses moindres désirs. Après la noix de cola, Mety encouragée par la présence de sa veudieu (co-épouse) hasarda :

— Comment cela s'est-il passé ?

— Je n'ai rien, répondit-il. Il me faut une carte d'identité. Pour cela, il me faut un extrait de naissance, un timbre de cinquante francs et trois photos.

Aucune ne le crut : elles se dévisagèrent. Mety, en vue d'une nouvelle investigation, attendant un moment plus propice, lui dit qu'on était venu le voir. Elle énuméra le nombre.

— Tous vont croire que j'ai de l'argent et que je refuse de leur venir en aide. Ils peuvent demander à Gorgui Maïssa. Il était venu avec moi...

— C'était uniquement pour te " taper " qu'il était venu avec toi, ce grigou, objecta Aram en l'interrompant.

Dieng leur raconta comment Maïssa avait " torpillé " cent francs à un jeune homme crédule.

— Il s'est éclipsé pour ne pas partager avec toi. Tu parles d'un grigou. Et tu as dépensé tes cinquante francs. Quelle époque !

Un arrivant se fit annoncer par une longue litanie de salamalecs : c'était Madiagne Diagne. Les femmes se retirèrent. Les deux hommes s'entretinrent de tout. Des étapes de silence entrecoupaient la conversation.

— J'étais venu te voir. Je suis devant une situation critique, grave même. Situation pour laquelle je sollicite ton assistance.

Madiagne Diagne marqua un temps de pause : c'était pas facile de crever l'abcès. Il fallait abattre

point par point ses phrases, lutter, se mortifier en
s'humiliant d'abord pour sa situation miséreuse. Les
phrases devaient correspondre avec l'expression du
visage, le ton onctueux sans accentuer les syllabes du
volof. On s'essoufflait volontairement, laissant à son
interlocuteur le temps d'être saisi, pénétré de
sa déchéance. Sur le Coran et sur Yallah on jurait,
promettait de payer dès demain avant le lever du
soleil, tout en sachant pertinemment que demain
n'était pas l'enfant d'aujourd'hui.

Dieng comprenait à mi-mot. Car tous, sans exception, usaient du même refrain. D'abord, éveiller chez
l'autre son penchant à la solidarité des miséreux,
fouetter en paroles douces l'essence de la fraternité
qui de jour en jour s'évaporait. Dieng resta muet.
L'autre revenait sans cesse sur ses dires :

— Yallah m'est témoin que je n'ai pas perçu le
mandat, peut-être demain.

— Tu n'as pas besoin de jurer, je te crois. J'avais
juste besoin de cinq mille francs ou de tout ce que tu
peux m'avancer. Tu es mon dernier espoir.

— Tu peux demander à Gorgui Maïssa. Il était
venu avec moi, répéta Dieng compatissant.

— Peut-être peux-tu m'avancer trois kilos de riz ;
j'ai entendu dire que tu as reçu cent kilos.

— Les gens parlent trop, grossissent les choses.
J'en ai juste quinze kilos. Mety !... Mety!

— Dieng !

— Donne à Madiagne trois kilos de riz.

— Nidiyea (chéri) il ne nous reste pas beacoup.

— Mety, cesse de me contrarier ! Quand je te dis
quelque chose, il faut que tu en rajoutes !

— C'est pour ma maison, Mety, dit Madiagne
Diagne. Je te jure que de toute la journée, les enfants
n'ont rien pris.

— Madiagne, tu sais que notre maison est tienne. Je ne te cache rien. Je vais voir ce qui nous reste. Comme il l'a dit, il n'a pas reçu le mandat.

Entre hommes se renoua la conversation banale ; ces conversations que des gens habitués les uns aux autres se répètent deux ou trois fois par jour et qu'ils trouvent eux-mêmes très utiles, mais qui ne sont rien d'autre que le moyen de vider leur ennui.

Madiagne Diagne partit avec la moitié d'un kilo de riz.

Mety ne comprenait pas *leur* mari. Sa générosité était bête. Tout le secteur allait accourir, les dépouiller. L'ordinaire est le domaine des femmes. Elles allaient le défendre. Elles se concertèrent. C'était elles qui diraient à qui venir en aide. (Si des générations et des générations de docilité avaient fait des femmes de chez nous des exécutantes, des soumises, elles avaient appris dans le nivellement qu'elles pouvaient tout obtenir de l'homme.)

D'autres chefs de famille vinrent à leur tour. Malgré leurs supplications, ils repartirent bredouilles.

Avant le lever du soleil, le lendemain, comme de coutume, Dieng s'était rendu à la mosquée pour la prière du fadjar. De retour, les épouses avaient achevé les travaux domestiques. C'est au moment où il prenait sa tisane de quinquéliba que rentra Baïdy. Squelette vivant, une figure tout en relief. Hier, il n'avait pu venir. Ce matin sa présence revêtait la plus haute importance, dit-il en partageant avec Dieng son petit déjeuner. Dieng ne le laissa pas finir. Confondu en regrets, il dit, le cœur plein de tristesse :

— Yallah est mon témoin, je n'ai rien reçu.

Mety qui assistait à la causerie ajouta :

— Baïdy, j'allais venir chez toi, espérant trouver quelque chose.

Avec son visage sculptural, Baïdy, la nuque tendue de déception se retira. Mety, satisfaite d'avoir réussi, lança un coup d'œil complice à sa veudieu.

De la maison de Dieng à la Grande Mairie, il y a au moins cinq kilomètres. Ce trajet dans son étendue s'incrusta dans son cerveau. Le faire à pied ! A moins d'avoir vingt francs ! Qui pouvait les lui avancer ? Dans sa situation d'aujourd'hui, personne ne viendrait à son aide. Il pensa à Gorgui Maïssa, à ses cent francs d'hier. La demeure de Maïssa se situait face au désespoir. Ayant reconnu l'accent de Dieng qui échangeait avec ses femmes les civilités, il vint à sa rencontre. Il entraîna Dieng hors de la maison, et jura sur ses dieux tutélaires qu'il ne lui restait pas un sou. " Même qu'il allait venir le voir. " Quand Dieng lui dit qu'il se rendait à la Grande Mairie, il s'excusa de ne pouvoir aller avec lui, à cause de ses rhumatismes.

Sans forcer l'allure, Dieng attaqua le macadam ; cinq kilomètres et quelques !...

Anonyme, pressée, la foule s'écoulait dans la même direction. Les klaxons des autos, les pétarades des motos, les dring-dring des vélos et des motos, les crass-crass des vieilles chaussures, les sabots des chevaux accompagnaient cette masse jusqu'à la lisière de la périphérie dite " quartier indigène " pour emprunter différentes voies. Les bruits s'estompaient lentement, pendant que demeurait suspendu le voile de poussière grise.

Devant l'entrée principale, comme sur les marches, des essaims de gens étaient agglutinés ; à gauche et à droite, des poignées de mains se distribuaient. Un planton âgé, royalement assis, discourait avec entrain.

— Extrait de naissance ? Etat civil, là, répondit-il
à la question de Dieng, le bras horizontal indiquant
la direction.

" Encore la queue ", pensa Dieng la mesurant du
regard et en prenant place au bout. Les divers accents
et timbres gutturaux bourdonnaient. Il amorça une
causette avec son devancier : un type mince à la
figure couturée de plusieurs entailles. C'était la troisième fois qu'il venait pour la même chose. Il était
maçon et avait trouvé du travail pour la Mauritanie.
Il chômait depuis deux ans. Dieng voulait savoir
combien de temps il fallait pour obtenir un extrait.

— Cela dépend, dit le maçon. Si tu es connu ou si
tu as des relations, sinon, il n'y a qu'à ne pas se
décourager, mais si tu as de l'argent, alors là, ça
va vite.

Dieng se confia à lui — le maçon semblait avoir
de l'expérience — : il lui expliqua le besoin urgent
qu'il avait d'obtenir sa carte d'identité. Ce n'était pas
difficile pour avoir un extrait de naissance. Son nom
était dans l'un de ces registres.

— Quand même, il est bon d'avoir des relations
par les temps qui courent, finit par répéter le maçon.

De confidences en critiques, les connaissances
s'élargissent. Les deux derniers arrivants s'y associè-
rent. L'un d'eux, le plus trapu, venu chercher l'acte
de naissance de son fils, démontrait par ses propos
l'incurie des bureaucrates, le manque de conscience
civique. Tous, pourtant, se taisaient lorsque s'approchait quelqu'un. Le maçon distribua à la ronde
des morceaux de cola.

Il obtint satisfaction. En partant, il serra les mains.
Ce fut le tour de Dieng.

— Homme, attends un peu que je respire, dit le
commis qui le reçut, en allumant une Camel, et il

engagea un dialogue avec son collègue, au fond du bureau.

Mais la pause durait; derrière Dieng, une voix féminine protesta.

— Ne rouspétez pas, ordonna le commis, récupérant sa chaise de mauvaise grâce. Que veux-tu toi ? demanda-t-il à Dieng d'un ton sec qui cingla ses oreilles.

— Moi?... fit Dieng, surpris dans ses réflexions.

— C'est ton tour, non ? Que veux-tu ?

Comme une anguille, soudain, glissa entre eux un mendiant hautement enturbanné, avec un long chapelet à la main, il chantonna :

— " Ngir Yallah, Dom " (A la grâce de Dieu, fils).

— Fous-le-camp!... bon Dieu, le rabroua l'employé en français puis en volof : Tu es là, matin et soir à nous casser les tympans.

Le mendiant se retira, penaud.

— Alors que veux-tu, toi ?

— Moi ?... Un extrait de naissance.

— Né où et à quelle date ?

— Voilà mes papiers.

— Je n'ai pas à regarder tes papiers. Ta date de naissance, et le lieu ?

Désemparé par la dureté du ton, d'un regard apeuré, Dieng chercha alentour, un soutien. Il exhiba encore ses papiers.

— Je t'attends homme, dit à nouveau le commis, en tirant des bouffées de sa cigarette.

— Voyons, fais vite, lança la femme derrière Dieng. Quelqu'un peut-il l'aider ?

Un gars en chemise-veston s'approcha.

— Retourne à ta place, lui ordonna l'employé en français, le ton autoritaire.

— Dis donc, parle doucement, répliqua le gars.

— Quoi ? Fais pas l'intéressant.

— Je suis poli et te le fais remarquer, objecta encore le gars et se retournant vers Dieng lut sur ses papiers à haute voix en direction du fonctionnaire :

— Ibrahima Dieng né à Dakar vers 1900.

— Le mois, je veux savoir.

— Je te dis vers 1900.

— Et tu crois que je vais chercher ? Je ne suis pas archiviste.

Ces répliques se faisaient en français. Petit à petit le ton s'élevait et finalement une vive dispute éclata entre les deux employés et le public. Chacun parlait. L'homme en chemise-veston tenait tête. Il reprochait violemment au jeune homme son manque de civisme et de consience professionnelle. Il prenait Dieng à témoin, mais Dieng ne disait rien. Il se tenait étranger à tout cela. S'il reconnaissait la justesse des incriminations de l'homme en chemise-veston, il n'en voyait pas l'utilité. Les choses s'envenimaient, car la femme, avec effronterie, s'attaquait à la mentalité administrative depuis *l'Indépendance,* elle parlait haut : " Voilà plus d'une semaine qu'elle venait matin et soir, si quelqu'un croyait qu'elle allait graisser ou écarter les cuisses, celui-là se trompait. " Vraiment, elle est sans pudeur, pensa Dieng. Il n'avait pas le courage de la faire taire et se demandait si quelqu'un allait s'en charger.

Enfin arriva le vieux planton qui calma la femme et s'imposa à tous : les voix baissèrent.

— Ta date de naissance, recommença le commis.

— Ibrahima Dieng né à Dakar, vers 1900, ponctua le gars en chemise-veston.

— Dans l'année, il y a combien de mois ? questionna l'employé, l'ironie au coin de la bouche.

— Douze, dit le gars le fixant avec méchanceté.

— Et quel mois est-il né ?

— Ecoute, l'homme, intervint à nouveau le vieux planton en s'adressant à Dieng, écoute-moi bien, dans ton quartier il y a bien quelqu'un avec qui ta date de naissance coïncide...

— C'est écrit ici, se rebiffa Dieng. J'ai ma carte d'électeur. La date y est.

— Tu permets, dit le vieil homme en écartant le gars en chemise-veston qui, levant son regard franc sur lui, lut dans les yeux du planton, cette lueur de folie qui caractérise les entêtés. Le vieil homme s'adressa à Dieng qui le frappait par ses vêtements :

— On vous " couillonne ", dit-il en français, avec les cartes d'électeur. Pour voter, on se fatigue pas. Tu vois tous ces registres, il y en a encore davantage à la cave. Il faut les voir tous, un à un.

— Mais papa, reprit l'homme en chemise-veston, est-ce qu'il ne peut pas laisser son nom sur un papier ? On le lui cherchera.

— Est-ce que tu vas nous apprendre notre métier ? En faisant comme tu dis, il attendra plus de deux mois.

— C'est le comble !

— Fais comme il te conseille. Cherche quelqu'un avec qui ta date de naissance coïncide, ajouta la femme.

Dieng domina son envie de lui dire que tout était de sa faute.

— Sinon, trouve alors quelqu'un d'influent, laissa tomber bas à l'oreille de Dieng le vieux planton.

" Qui aller voir ? L'iman de la mosquée ? Non !... Celui-ci ne connaît personne. Il le dit assez. Dans ce pays, si tu ne connais personne pour te soutenir, tu n'arriveras à rien. La preuve ! Depuis que je suis débauché, on promet de me reprendre. Tous mes anciens collègues ont été repris ", soliloquait-il.

De la place de l'Indépendance, il se dirigea vers le marché Sandaga.

Au carrefour, il chercha des yeux une connaissance pour lui soutirer vingt francs. Tous ces visages fermés lui étaient inconnus; tous ces yeux, ces bouches, ces oreilles lui semblaient impitoyables. A qui s'adresser ? A cet homme d'allure vive ? Non, il ne pouvait pas faire comme Gorgui Maïssa. Un jeune homme accrocha son regard. Il lui rappelait un arrière-petit-cousin qui habitait non loin d'ici. L'envie d'aller voir cet arrière-petit-cousin se précisa en lui. " J'aurais l'air d'un pique-assiette ", se dit-il. La crainte qui l'envahissait était que ce parent, venu de France, avait une épouse *toubabesse* (blanche). Mais, persistante, l'idée d'aller le voir s'imposa. Il lui demanderait juste vingt francs. Il ne pourrait les lui refuser.

Il arriva devant une porte en fer forgé, il inspecta la courette avant de décider, de poser son index sur le bouton de la sonnerie. Une sueur froide le parcourut. Un *boy* (domestique) en tablier blanc vint lui ouvrir :

— M'sieu vient d'arriver, dit le boy en conduisant Dieng au salon.

Là, terriblement impressionné, il sentit la morsure profonde d'être un intrus. Son regard allait d'un objet à un autre; tout ici imposait le silence. Il n'osait s'asseoir, tout en souhaitant de ne voir que l'arrière-petit-cousin, surtout pas *madame*.

Un homme, paraissant âgé d'une trentaine d'années, fit son entrée dans le salon en bras de chemise. Dès qu'il le vit, avec empressement, il mit le " tonton " à l'aise; s'informa des nouvelles de la famille, des parents. Il appela *Madame* et ses deux enfants pour les présenter.

Madame n'avait plus le souvenir de cet oncle. Comment mettre un nom sur tous ces visages vus une fois, il y a trois ans et qui s'étaient volatilisés de son horizon ? Son mari n'avait-il pas dit, dans une causette de couples *dominos* (couples mixtes) :

— Les parents, les beaux-parents, ici, ne viennent nous voir que lorsqu'ils sont dans le besoin. Alors pourquoi nous écraser les oreilles avec la sociabilité africaine ?

Dieng déclina l'invitation à dîner, il n'avait fait que passer prendre des nouvelles.

En se retirant, l'arrière-petit-cousin le reconduisit. Entre parents, ils s'expliquèrent. Le petit-cousin regagna l'intérieur et revint avec un billet de cent francs et un chèque de mille francs. Il n'avait pas de liquide à la maison. L'oncle le remercia et promit de revenir le voir au bureau le lendemain matin.

De retour dans le salon, le petit-cousin trouva *madame* boudeuse :

— Seul l'intérêt les guide. C'était pour l'argent encore.

Il comprenait sa femme, posa sur elle un regard de commisération. Les sentiments collectifs, communs, qui aident, soutiennent les membres d'une même communauté dans certaines passes difficiles étaient inexistants dans leur milieu.

— C'est difficile pour nous, mais pire pour eux.

Madame se retira.

Resté seul, le petit-cousin réfléchissait : comment faire comprendre à la famille de ne venir le voir qu'au bureau ?

A la station-départ des *rapides,* Dieng se fit faire de la monnaie. Cela lui éviterait d'exhiber un billet de cent francs, d'exciter la convoitise ou de payer pour un parent fortuitement rencontré. Le *rapide* était complet. A côté de lui, sur la banquette à deux places, un vieux à la figure râpée, usée, discourait avec son vis-à-vis, un homme convenablement habillé.

— Je n'ai pas vu le type dont tu me parles, dit le vieil homme avec son accent cayorien.

— Tu as donné la chose... la chose, dit-il deux fois.

— Ahan ! il demande trop.

— Chacun à son prix, l'essentiel est d'obtenir ce qu'on veut.

— Où va le pays, chaque fois qu'on veut quelque chose, il faut payer.

— Parle doucement, conseilla le plus jeune, pendant que son regard faisait le tour des passagers.

Dieng n'avait rien perdu de leur conversation. Il était sûr que le vieux venait de " graisser " quelqu'un pour obtenir un service. Quoi ?... S'il pouvait le savoir. De dessous les cils il les observait. Le plus jeune lui inspirait confiance par sa mise correcte. Son front brillant était celui d'un croyant.

L'apprenti chauffeur perçut le montant des places. Dieng lui remit deux piécettes de dix francs.

A l'arrêt " Gumalo " le vieux et son compagnon descendirent. Dieng les imita et marcha quelque temps à leur hauteur :

— Pardon, frères, tout à l'heure je vous ai entendus.

Le plus jeune, le visage assombri par la peur, balbutia :

— Nous n'avons rien dit, mon père et moi. Peut-être t'es-tu trompé !

— C'est ça, homme, tes oreilles t'ont trompé. C'était d'autres personnes, dans le *rapide,* que tu as entendues, ajouta le père.

— N'ayez crainte, je ne suis pas ce que vous pensez.

— Yallah nous est témoin que nous n'avons rien dit. Nous sommes tous des musulmans. Mon père est de l'intérieur. Il était venu pour se faire soigner. Rien de plus, nous avons reçu la feuille d'impôts… Tiens, prends pour acheter de la cola.

Dieng resta sidéré. Comment s'expliquer pour être cru ? Le fils du vieil homme lui mit un billet de cent francs dans la main. Avant même qu'il ait eu le temps de se dominer, d'articuler un mot, le père et le fils se trouvaient déjà à l'angle de la rue. Anéanti, il resta là avec son billet au bout des doigts.

Il était deux heures passées, quand il remonta l'artère centrale pour aller à la banque; le long du trottoir c'était un flot ininterrompu, un va-et-vient de marchands de pacotilles : lunettes, boutons de manchettes, coupons de tissus, peignes, pantalons taillés, statuettes, masques ; des cireurs en bas âge, des marchandes de cacahuètes, des aveugles : bornes vivantes assises tous les cents mètres à même le ciment et qui psalmodiaient. Des hommes-troncs, sur leur engin, roulaient entre les jambes des passants.

A la hauteur de la librairie *Africa,* il fut accosté par une femme discrètement vêtue. Il lui manquait dix francs pour retourner chez elle à Yoff. Elle avait été dépouillée par un voleur. Rien dans le ton ni dans le maintien ne dénotait la prostituée classique. Dieng la plaignit et lui remit vingt-cinq francs en se répétant la rituelle phrase : " Que tous mes malheurs suivent ces vingt-cinq francs. " " Je connais peut-être ses parents, quel inconscient je suis. Je ne connais pas son nom mais je suis sûr de la reconnaître ", se disait-il en poursuivant son chemin. Elle l'avait remercié, en lui souhaitant tout le bonheur possible.

La banque n'était pas encore ouverte ; les employés stationnaient devant l'entrée du personnel. Passant en revue les divers groupes, il cherchait un visage connu. Tout près d'un pilier, il remarqua un homme replet, vêtu d'un costume bien coupé, qui portait un gros porte-documents. Il le détailla longuement. L'autre se sentit aussitôt observé. Alors Dieng se dirigea vers lui.

— S'il a de l'argent ici, il n'y a rien à craindre tu seras payé, fut-il répondu à sa question.

Un autre gars s'approcha. Il était mince, les épaules trop larges de sa veste de tweed tombaient. Ils conversèrent en français (que Dieng ne comprenait pas).

— Pourquoi celui qui te l'a donné n'a-t-il pas libellé le chèque au " porteur " ?

— Qu'est-ce que c'est au porteur ?

Il n'eut pas l'explication demandée. Il convint avec le gars à la veste de tweed de se présenter à lui, dès l'ouverture des bureaux. Pour l'instant, il n'avait qu'à passer de l'autre côté, par la porte du public. Lorsque cette porte s'ouvrit, une foule envahit le hall de la banque. Dieng alla s'asseoir, le cœur battant; de temps en temps, une voix mécanique, vibrante, annonçait un numéro, un homme ou une femme se présentait à l'un des guichets.

Un *toubab* vint s'asseoir en face de lui. La peur le prenait au ventre. Son regard rencontra une troisième fois celui du *toubab*. Il vit les yeux du *toubab* s'attarder sur son visage, sur ses bras qui tremblotaient. Un étrange sentiment, indéfinissable, le possédait, comme un sentiment de culpabilité ; sous l'emprise de la crainte, il lui semblait qu'il violait quelque chose. D'instinct coulaient en lui les versets protecteurs du Coran.

L'écho mécanique vomit un chiffre. Le *toubab*
se leva, il le suivit du regard et sa poitrine libéra
un long soupir de soulagement. Il tressaillit quand
une main se posa sur lui :

— Frère, on t'appelle là-bas.

Derrière les bureaux, à voix basse, le gars à la
veste de tweed lui dit :

— C'est ton numéro ! Ecoute bien : le 41. A la
caisse demande des billets de cent francs.

Dieng revint prendre sa place en se répétant 41...
41... Il ne tarda pas à se présenter à son tour au
guichet. La caissière lui demanda en quelles coupures
il voulait les mille francs. En cent, répondit-il. Au
moment de franchir le seuil, le jeune homme à la
veste de tweed l'arrêta :

— Alamdoulillah ! dit Dieng. Tout s'est bien passé.
Merci !...

— Oncle (il n'y avait aucun lien de parenté entre
eux), je te prie de penser à mon collègue. C'est grâce
à lui que tu as ton argent.

— Combien ? demanda Dieng.

— Tu es un père de famille ! Au lieu de quatre
cents francs donne-lui trois.

Dieng trouva la dîme trop élevée.

— Pense que mon collègue a pris des risques.
Pour tes mille balles, lui, il a risqué son avenir
et le bien-être de sa famille.

L'ayant écouté étaler les risques de l'autre, il lui
remit les trois cents francs. Il bougonnait contre ces
gens qui se font payer pour tous les services; mais
il reconnut aussi que, sans cela, les gens comme lui
auraient du mal à vivre.

Rebroussant chemin, l'argent en poche, il détaillait
les magasins richement achalandés. A la hauteur
du *Service des Domaines,* un attroupement attira
son attention. C'était un vieux mendiant qui décla-

mait. Il avait les yeux caverneux, vides, les pommettes comme deux barres. Sa voix forte vous pénétrait.
Dieng se fouilla les poches.

— Père !... Père !... s'il te plaît, s'entendit-il dire
par une voix féminine à ses côtés. Père, pardonne-
moi, je suis étrangère à Ndakaru (Dakar). J'étais
venue pour y faire soigner mon mari et Yallah
l'a appelé à lui. Maintenant, je dois retourner dans
mon village. Je fais appel à ta générosité, à la grâce
de Yallah et de son prophète Mohammed.

D'une voix fluette et égale du début à la fin,
rien en elle ne soulevait ni la pitié, ni condescen-
dance maladive ; seul un lac de larmes au ras des
paupières brillait.

Dieng se déplaça d'un pas sur la gauche pour laisser passer deux hommes :

— Voï!... Voï! clama-t-il. Je t'ai vue tantôt, je
t'ai même donné vingt-cinq francs. C'était plus bas,
là-bas.

Dieng était convaincu que c'était elle; ces yeux,
cette figure allongée. Seuls ses habits avaient changé.

— Moi ?... s'écria-t-elle la main sur la poitrine.
Moi ? Il se peut que tu te trompes de femme, homme.

— Non!... Non... Yallah est mon témoin.

Des gens se retournaient sur eux avec des visages
hostiles.

— Continue ton chemin, homme ! Je ne suis pas
ce que tu crois. Je suis une honnête femme.

— Comment, tantôt, sur le trottoir...

— Homme, l'interrompit-elle à nouveau, continue
ton chemin, tu as l'air d'un marabout et jamais je
n'aurais cru cela d'un homme respectueux comme toi.

Dieng balbutiait :

— Si je ne dis rien, toi aussi tu dois te taire.

— A la maison, j'ai laissé un père comme toi.
Vêtu comme tu es, tu devrais avoir honte de faire

des propositions aux femmes que tu rencontres, acheva-t-elle en s'éloignant.

Dieng déconcerté regardait autour de lui, divers commentaires le condamnaient. La sueur de la honte mouillait son front. Un homme de son âge, en uniforme blanc (chauffeur de métier), le prit délicatement et le fit sortir de la foule.

— Si les honnêtes gens se mettent à mendier, où irons-nous ?

Le chauffeur ne répondit pas. Quelques pas plus loin, il le laissa et poursuivit son chemin.

Prendre le *rapide,* il n'en était pas question. Avec la somme restante il irait chez un photographe et achèterait un timbre. Sur l'avenue Blaise Diagne, il lorgna les devantures des photographes. Dans un atelier, une Syrienne, la tête prise dans un voile blanc, la figure fatiguée, lui demanda en volof :

— Homme, qu'est-ce que tu veux ? Te faire photographier ?...

— Je me renseignais seulement. La photo d'identité coûte combien ?

Sans se lever de son tabouret, la Syrienne lui dit le prix. Il le trouva trop élevé. Chez cinq ou six autres photographes, c'était le même prix. Il voulut aller chez Salla Casset, le plus réputé des artisans, le coût l'en dissuada. En fin de compte, il se rendit chez Ambroise. C'était un petit bonhomme à l'allure désopilante qui le cueillit au seuil de l'atelier — un garage désaffecté. Ambroise ne lui laissa même pas le temps de souffler, l'assit. L'apprenti, averti de tous les gestes de son patron, ajustait les deux projecteurs, qui, tyranniques, oppressaient les yeux de Dieng.

— Ne ferme pas les yeux, homme. C'est pour une carte d'identité ? Bon !... J'ai compris quand je t'ai vu. Lève ton menton… C'est ça ! Attention… Voilà, c'est fini.

Dieng se retrouva de l'autre côté du rideau. Ambroise lui prit deux cents francs en lui disant :

— Demain.

Jusque tard dans la nuit, Dieng, dans la joie des jours assurés, avait oublié toutes ses mésaventures. Il se réconfortait de sa grande force de patience. Il se tournait et se retournait dans son lit. Il réfléchit à la réponse qu'il dicterait au scribe. Il se rappela soudain les cinquante francs, il dictait :

J'ai reçu ta lettre et le mandat. Pendant des mois, on se mangeait le sang à cause de ton absence. Tout le monde était inquiet. Un jour, l'un de tes copains nous a dit : " Abdou est parti en France ". C'est pas bien ce que tu as fait. Partir, sans nous prévenir, surtout moi. Tu me connais, tu aurais pu me le dire. Peut-être me serais-je opposé pour la simple raison que j'aurais eu peur pour toi. Mais te sachant bon fils, tu aurais ma bénédiction, surtout quand tu pars pour travailler. Car ici, c'est sec sans besogne. Je suis heureux, très heureux de savoir que tu travailles.

Te voilà dans un pays étranger. Tu es seul, sans conseil. Personne pour te dire ce que tu dois faire ou ne pas faire. Tu es ton propre père et mère. Evite les mauvaises fréquentations. Pense aussi que tu dois revenir. Ta mère n'a que toi comme fils qui travaille sur huit enfants. Tes besoins doivent passer après les siens. Or, ici, la vie est de plus en plus difficile.

Dès que j'ai reçu le mandat, j'ai agi comme tu me l'as dit. J'ai envoyé 3 000 francs à ta mère. Je pense recevoir dans quelques jours de ses nouvelles. Peut-être même viendra-t-elle ?

Dieng se demanda s'il devait parler du petit-cousin. Mieux valait ne pas tout dire. Il reprit la rédac-
tion mentale de la lettre.

*Comme tu me l'écris, je te garde tes 20 000
francs. A mon avis, tu dois m'envoyer tout ton argent. Ainsi, avant ton retour, je t'achèterai une maison. La jeunesse ne dure pas toujours.*

Il en avait assez dicté; Aram qui assurait son *aïyé*
le reçut deux fois.

Le lendemain matin, il se rendit au bureau de l'arrière-petit-cousin. Celui-ci avec sa 2 CV, le conduisit
à la grande mairie. Il le fit attendre à côté du vieux
planton qui le reconnut. Ils conversèrent. L'arrière-
petit-cousin ressortit avec un autre. " Il semble être
un sef (chef) " pensait Dieng. Il en avait l'allure. De
loin, il les observait et était frappé par leur familia-
rité. Du doigt, le petit-cousin l'appela. Sur un papier,
il inscrivit la date et le lieu de naissance de Ibrahima Dieng.

— Reviens après-demain, tonton, au premier étage,
dit l'ami de l'arrière-petit-cousin.

C'était fini. L'arrière-petit-cousin ne pouvant le
conduire jusqu'à la maison, la déposa au carrefour
Sandaga. Au moment de se séparer, Dieng, lui saisit les mains, ouvrit les paumes en marmonnant des
versets du Coran. L'arrière-petit-cousin se laissa
faire. De biais, il observait l'agent de police qui arrivait sur eux en tâtant sa poche de poitrine. A leur
hauteur, l'agent jeta un œil oblique sur ces paires
de mains ; sur le visage de l'homme, puis sur ce marabout (il pensait que Dieng en était un) et il joignit ses mains aux autres. Dieng lui prit un pouce,
le front levé, les lèvres remuaient. Deux personnes
qui passaient, s'arrêtèrent, les mains en avant.
Quand il eut fini de marmonner, avec générosité, il

aspergea de salive les alentours. Chacun répondit
" Amine ! Amine " et se frotta le visage en se dis-
persant.

Débonnairement, Dieng rentra chez lui. Il pensaiᵗ
qu'après-demain, il aurait son extrait de naissance,
ce soir la photo. Il avait encore oublié le timbre

Le reste de la journée, il n'eut rien à faire. Le lendemain il devait aller à un baptême et à un enterrement. Il ne pouvait se dérober. Après le *djuma* (mosquée-cathédrale), se firent les visites des parents et des amis. Le samedi, pour des raisons obscures, il renonça à la décision d'aller à la grande mairie, remettant cela au lundi.

L'après-midi, il se rendit chez Ambroise le photographe. La boutique était fermée.

En rentrant chez lui, Dieng trouva sa sœur aînée : la mère d'Abdou. Une forte femme avec de larges reins, une figure ravinée par le *mboyeu* (alizé) du Cayor, les yeux roussis. Les salutations épuisées, avec son accent rocailleux, elle dit sans emphase les raisons de sa présence. Elle voulait repartir dès demain. Elle avait reçu la lettre de son fils, Abdou et venait chercher ses trois mille francs. Dieng lui conta toutes les démarches dont les perspectives étaient plus prometteuses. C'était une question de jours. Deux, trois tout au plus. Il avait même été voir l'arrière-petit-cousin qui avait été très poli à son endroit.

— Lui, ce fils qui aujourd'hui nous ignore et c'était moi qui lui torchais le derrière!

— Il faut comprendre...

— Ne nous a-t-il pas abandonnés ? Nous qui
l'avons enfanté, bercé ? Parce qu'il est devenu *toubab*. Ne me parle plus de lui. Il sait notre complet
dénuement. J'ai encore de la dignité. Je partirai d'ici
sans aller le voir.

— Et ton mari ?

— En brousse! Je suis seule avec les enfants, et
nous n'avons rien. Rien, ce qu'on appelle rien. Pour
venir j'ai emprunté à droite et à gauche. Même ces
vêtements sur moi, une partie est à ma deuxième
veudieu, expliquait-elle. La colère filtrait à travers
ses propos.

Mety apporta le repas au frère et à la sœur.

Pendant le repas, elle somma Dieng de lui trouver deux mille francs au moins, afin qu'elle puisse
repartir demain.

— J'ai pas un sou avec moi pour payer mon
retour, dit-elle en guise de conclusion.

— Ce riz que tu manges m'a été avancé à un
taux usuraire. J'ai juste deux cents francs.

— Moi aussi j'ai contracté des dettes dès que j'ai
reçu la lettre d'Abdou. Or, j'ai promis de payer dès
mon retour. Retourner les mains vides ?... Tu n'y
penses pas. Va voir tes connaissances...

— Je t'avoue que les temps sont durs. La vie n'est
plus comme avant. On ne peut plus compter sur les
voisins. Maintenant chacun vit pour soi.

Dieng faisait tout pour modérer les adjurations
de sa sœur. Elle s'était lancée dans des critiques
acerbes. Parlant de la campagne, après trois mois
de dur labeur, un mois de vie normale, où l'on mange
tout juste à sa faim, et les mois suivants c'est la fami-
ne chronique, le dépeuplement. A maintes reprises,
Dieng voulut faire taire sa sœur: " Ces propos ne
se tiennent qu'en chambre bien close avec des gens

sûrs. " Elle n'épargnait rien. Elle élevait la voix et pleurait l'absence des hommes valeureux d'hier.

Aram vint au secours de *leur* mari, adroitement elle appela sa belle-sœur pour qu'elle se repose de ses fatigues.

— Je vais voir ce que je peux obtenir, dit Dieng.

— Reviens pas les mains vides, ajouta-t-elle.

Au moment de partir, Aram en aparté lui dit :

— Essaie de placer ceci.

C'étaient des boucles d'oreilles en or qu'à l'époque Dieng lui avait offertes.

— Je trouverai quelque chose sans cela. Garde-les!

— Il fait nuit, et si tu ne trouves rien, passe chez Mbarka, il ne dédaigne pas l'or.

Hors de la maison, il réfléchit. Qui pourrait-il " taper " de deux billets de mille ? Aucun nom ou visage ne lui vint à l'esprit. D'avance aussi, il savait qu'il était "grillé ". Personne ne lui viendrait en aide. Il conclut que trouver cette somme était une entreprise téméraire en ces temps. Il décida de faire un long tour et de rentrer. Demain, on verrait bien! Il connaissait l'esprit obtus de son aînée, elle vomirait d'une bouchée sa bile de colère.

De l'ombre, en silhouette fantomatique surgit Nogoï Binetu, drapée dans son pagne, le corps affaissé. Elle était accompagnée de l'un de ses petits-fils, un garçonnet de neuf ans. Ils se reconnurent dans l'ombre. Elle se rendait chez Ibrahima (contrairement à tous, elle n'usait des *santa* — nom de famille — que dans les cas cérémonieux). Elle invita Ibrahima à s'asseoir là, sur les briques.

— Je me rendais chez toi, pour solliciter un crédit, soit en nature, soit en argent. J'ai besoin de cinquante kilos de riz.

Dès leur rencontre, Dieng avait deviné. La voix

de la vieille femme s'enroulait lentement dans son
cerveau.

Un marchand ambulant qui traversait la rue chantonnait :

> *De la poudre qui tue, puces, punaises, cafards*
> *Poudre qui rend vos nuits douces.*

— Je me rends chez Mbarka, ensuite j'irai chez
toi, murmura Dieng, et il se dit en lui-même : " Il
ne me servira à rien de lui dire que je n'ai rien. "

Ils se séparèrent.

Deux larges raies de lumière se découpaient sur
le sable, venant de la boutique. A la porte de
droite, trois hommes étaient royalement installés autour du fourneau malgache où infusait le thé à la
menthe : c'étaient les boutiquiers du secteur. Leur
conversation était animée.

Dieng les salua et accéda à l'intérieur de la boutique où Mbarka servait un client :

— Il paraît que ta sœur est venue ? A-t-elle fait
bonne route ? demanda le commerçant en guise de salutation.

— Alhamdoulillah! renchérit Dieng.

— Que Yallah en soit remercié!

— Amine! Amine!

— Tu passais me saluer, enchaîna Mbarka, évitant d'aborder devant témoin le cas de Dieng. Choisis une noix dans le bocal. Voilà des jours que je
t'attendais.

Dieng choisit une noix ferme, la divisa, tendit la
main d'abord au boutiquier, ensuite au client. L'a-
rôme de la menthe se répandit dans l'air.

— Tu es venu, j'espère, pour me régler, commença Mbarka lorsque le client se fut retiré. Tu sais
bien que je ne relance jamais mes clients.

Dieng essaya de plaider sa cause, jurant au nom de Yallah. Maintenant il avait sur les bras sa sœur. Pour finir, il lui montra les boucles d'oreilles. Le commerçant les examina d'un air dédaigneux et les lui rendit.

— Mbarka! Mbarka! cria une voix dehors.

— J'arrive, répondit Mbarka.

— J'en veux juste cinq mille francs. Je suis sûr d'encaisser le mandat lundi. Ma première visite sera pour toi, inchallah. Aide-moi au nom de Yallah et de son prophète Mohammed!

— Yallah! Yallah, crois-tu que je gagne cinq mille francs par jour ?

Avec des gestes décidés, il feuilleta un registre à la couverture grasse avec des inscriptions en caractères arabes. Son index courait sur la page.

— Voilà!... Sais-tu combien tu me dois ?

D'un débit rapide, monotone, il énuméra les divers articles et conclut :

— Tu me dois vingt mille sept cent cinquante-trois francs. Et ceci depuis sept mois.

— Eye!... Mbarka, appela à nouveau la voix.

— J'arrive, répondit-il ne cessant de fixer Dieng.

La lumière qui tombait du plafond faisait miroiter le haut du front, la tache noire sous les orbites s'élargissait, jusqu'à la bouche qui ressortait tel un museau.

— Yallah sait que je ne peux pas. Va voir quelqu'un d'autre et pense à me payer, car j'arrête ton compte.

— Ecoute, insista Dieng.

Mbarka était déjà avec les autres, le laissant seul dans la boutique.

Autour du fourneau malgache, l'un des commerçants officiait, les jambes croisées : la théière levée

haut déversait le jet d'infusion d'un bruit mat dans
les verres, embaumant l'air.

Dieng se planta là, les regardant siroter goulûment
la boisson chaude. Sa silhouette se découpait sur le
pan de clarté.

> *Poudre qui tue puces, punaises, poux, cafards*
> *Poudre qui rend vos nuits douces*
> *Qui en veut ? Ce n'est pas cher*
> *Une fois chez moi, je ne sors plus*
> *Et ne venez pas me réveiller de grâce!*
> *De grâce, j'ai une jeune femme... Venez!*
> *Venez maintenant.*
> *Poudre... De la bonne poudre!*

C'était le marchand ambulant qui, un court moment s'était arrêté.

— Mon ami que veux-tu ? lui demanda celui qui
était allongé, tenant d'une main son pied levé et replié

Mbarka dans leur dialecte le mit au courant.

— Montre!

Dieng se pencha vers lui.

— C'est de l'or ?

— Pur... De l'or contrôlé. Je le laisse en gage
pour cinq mille francs. Je l'avais payé onze mille
cinq cents francs.

— Je vais voir!

Il se leva, entra dans la boutique ; revint reprendre sa place et engagea un dialogue avec Mbarka ;
puis s'adressa à Dieng :

— Tu sais que nous n'avons pas d'argent, mais je
vois que tu en as vraiment besoin, je te les prends
pour trois jours...

— Je suis d'accord.

— Attends, je te les prends pour deux mille
francs. Tu me donneras cinq cents de plus.

— Deux, clama Dieng en s'accroupissant près du type. J'ai besoin de cinq mille francs, mais donne-moi trois. Mbarka sait que j'ai un mandat qui vient de Paris.

— C'était pour t'aider! Reprends tes bijoux. Pour moi, c'est de l'argent immobilisé.

Les commerçants se désintéressèrent de lui et reprirent leur causerie ; les verres passaient de main en main. Dieng avait beau invoquer la solidarité religieuse et les lois du voisinage. Rien n'y fit. Enfin, il accepta les deux mille francs.

— Ecoute bien, mon ami!... Si dans trois jours, lundi, mardi, mercredi tu ne viens pas dégager les bijoux, ils sont perdus pour toi, et je les vends.

— Oui.

— Réfléchis bien.

— Je te dis que j'ai un mandat.

L'autre se retourna vers Mbarka. Ils se reparlèrent dans leur dialecte (Dieng ne comprenait pas). Mbarka prit les boucles, entra dans la boutique, revint et compta quatre billets de cinq cents francs.

A ce moment, arriva Gorgui Maïssa : après les salutations, il s'achemina avec Dieng :

— Chaque fois que je viens chez toi, Mety ou Aram me dit que tu es sorti. Je viens de voir ta sœur. Elle a maigri, la pauvrette.

— Ces jours-ci je suis tout le temps en course.

— Je vois que tout est en ordre.

Dieng ne répondit pas, il calculait : cinq cents francs pour la vieille Nogoï, le reste pour sa sœur. Il voulut refuser les cinq cents francs à Nogoï, mais il ne le put : " Elle doit avoir un gris-gris pour me forcer la main ", se dit-il tout bas.

— Je voudrais que tu m'avances deux mille francs. Je te les rendrai dès la fin de l'autre semaine. J'ai aussi une rentrée en vue, dit Gorgui Maïssa.

— Ha! grogna interrogativement Dieng arraché
à ses luttes intestines. Je ne le peux pas.

— Essaie! Essaie, même mille francs, je ne les
refuserai pas.

— Maïssa, je ne le peux pas, crois-moi.

— Ibrahima, il faut s'aider, ne sois pas seul à
profiter de ton avoir. Pense aux autres! Aujourd'hui,
c'est toi, demain, c'est un autre. L'homme a pour
remède l'homme.

— Maïssa, l'argent que tu viens de voir m'a été
prêté sur gage. C'est pour ma sœur. Moi-même, je ne
sais pas ce que je vais donner comme dépense journalière, demain.

— Pourtant, tu as promis à Nogoï.

— Han!

— Je suis passé chez elle. Elle m'a dit qu'elle
t'attendait.

— Je n'ai pas le mandat, Yallah est mon témoin.
Et même ce mandat n'est pas à moi.

— Je le sais, répondit Gorgui Maïssa le retenant
par le poignet. Tu me connais voilà des années.
Pense aux jours anciens! On ne se cachait pas les uns
des autres. Dès que j'aurai cette rentrée, tu seras
réglé, sans un sou en moins, même j'en ajouterai.
Aide-moi, tu sais que ce n'est pas pour bam-
bocher. C'est pour ma famille...

— Maïssa, cet argent n'est pas à moi. Ce mandat
sur lequel chacun bâtit son espoir n'est pas à moi.

— Je sais cela. Avant que ton neveu revienne de
Tugel (Europe), je pense te le rendre.

— Je n'ai pas d'argent, dit sèchement Dieng en
entrant chez la vieille Nogoï. " Il ne sert à rien de dire
la vérité aux gens de nos jours ", se dit-il encore.

Le lendemain, les deux épouses en accueillantes
belles-sœurs ne laissèrent pas partir la mère d'Abdou

les mains vides. Chacune avait sorti du fond de sa
malle un vêtement de choix pour le lui offrir. Son
frère en la reconduisant à la gare routière lui promit
une visite au plus tard dans une semaine. Volubile,
elle ne cessait de le harceler de ses griefs :

— Tu es un homme incapable de te hisser à un
niveau social plus élevé, plus respectable ; au lieu de
cela, tu croupis dans la crasse.

Le lundi matin, après la grande mairie, son
extrait de naissance en poche, Dieng fit un saut chez
Ambroise, le photographe : à deux reprises, il trouva
la porte du garage fermée. Personne n'avait pu le ren-
seigner sur les causes de cette fermeture. Le photographe était-il malade ?

Un gros poids s'envola de lui quand, dans l'après-
midi, de loin il vit la porte grande ouverte. L'apprenti lui dit que le patron était absent. Il ne savait
pas quand il allait revenir. Oui, il le reconnaissait!
C'était lui le porte-malheur! Voilà deux jours que ne
fonctionnait plus leur appareil.

— Rendez-moi mon argent.

— *Pa!*...attends le retour du patron. Je sais seulement que les photos sont loupées.

L'apprenti, assis sur le rebord de la table, les pieds
sur la chaise dévorait des yeux les pages de nues de
la *Vie parisienne*. Plus l'attente durait, plus Dieng
s'impatientait, s'énervait.

— Quand on sait que son *truc* ne marche pas,
l'honnêteté est de rendre l'argent. Est-ce que moi
j'ai lésiné sur le prix ? Non!... Si ton patron
ne me donne pas les photos, qu'il me rende mon
argent.

— *Pa*... je ne suis pour rien. Attends sans bêler.
Tu nous fais fuir la clientèle, dit l'apprenti sans lever
les yeux.

— J'ai des enfants ! Mon benjamin est plus âgé que toi.

L'apprenti, avec indifférence, alluma une cigarette.

— Je devais revenir vendredi passé... Voilà ce qu'on dit des enfants d'aujourd'hui. Tu n'es pas encore né que déjà tu fumes.

— Pa... c'est pas ton pèze.

Disant cela, l'apprenti chassa la fumée en direction de Dieng. L'odeur de la fumée lui était insupportable. Elle le pénétrait jusqu'aux bronches. Suffoqué, il toussota, se tenant le thorax. Son bonnet tomba. Coléreux, il voulut se saisir de l'adolescent.

— Pa... fais attention! Je vais te faire du mal, menaça l'apprenti. Pa... prends garde, dit-il et tirant la table, il la renversa. Tu as vu ce que tu as fait, vieux con...

— Moi ?... Attends que je t'attrape, tu verras.

Comme un éclair, le poing de l'adolescent en deux ou trois coups rapides cogna le nez de Dieng ; le sang gicla, tachant ses boubous. Le vacarme avait attiré des badauds qui s'aggloméraient devant la porte.

— Ce " Pa "... n'a pas trouvé mon patron et il veut tout casser, expliqua l'apprenti que tenait un homme.

— Tu n'as pas le droit de démolir l'outillage d'un ouvrier. Son patron est absent, tu attends, opina l'homme qui s'était interposé entre les deux antagonistes.

Essuyant le bas de son visage ensanglanté, Dieng avait du mal à présenter sa version.

— Tu as tort, reprit l'homme avec sévérité. On ne se bagarre pas dans l'atelier d'autrui. Avec ces marabouts, il n'y a rien à faire! Tous des fumistes.

— Kébè, que se passe-t-il ? demanda une jeune femme avec un fort accent ndar-ndar, le mouchoir de tête en amazone, qui avait fendu le cercle de curieux.

Kébè — le gars sentencieux — se retourna :

— Rien, Bougouma! C'est ce faux marabout qui s'est fait rosser par Malic (l'apprenti).

— Laïhi lâh! s'exclama Bougouma la jeune femme, la main tenant son menton avec surprise. Il nage dans son sang, dit-elle. C'est le coup du bélier! C'est de mode, maintenant, chez Ambroise.

— Viens, homme! J'habite à côté. Je vais te donner de l'eau, ajouta une autre femme plus âgée, le visage empreint de pitié.

En la suivant, Dieng lui expliquait les péripéties de sa mésaventure.

Dieng s'était débarbouillé et assis sur le banc d'œuvre devant la maison de la femme. Il surveillait l'atelier du photographe.

Au bout d'une heure, de loin, il vit arriver le petit homme avec son allure joviale, saluant tout le monde sur son passage. Il était dans son fief.

— Tiens, te voilà, toi, vieux porte-malheur, dit-il en français en voyant Dieng.

A la vue de son atelier, son expression de jovialité se mua en masque dur qui figeait ses traits. Dans une irruption volcanique, il entra dans une de ses fureurs auxquelles Malic, l'apprenti, ne s'était jamais accoutumé. Les grossièretés en tornade foudroyaient l'esprit religieux de Dieng.

— Patron, c'est lui. Je te jure que c'est lui, disait Malic.

Dieng avait déjà vu des êtres en colère, mais le photographe appartenait à une catégorie rare. Son cou, sa figure en étaient enflés. Sa noirceur accusée passait au blême gris, les yeux exorbités, injectés de fibres rouges flottaient, sa lèvre inférieure, pendante, se tordait, laissant apparaître ses dents tartrées de la

rouille de gros vin vendu dans tous les estaminets
de la Médina.

— Patron, je lui ai dit de t'attendre, il n'a rien
voulu savoir. Voilà ce qu'il a fait, ajouta Malic qui
jetait ainsi un peu d'huile sur le feu.

Ambroise vociférait des insanités contre tous les
Dieng du pays. Sa voix grave et le ton agressif
attiraient les passants :

— Va-t'en !... Va-t'en, sinon, je vais faire un malheur. Tu crois qu'avec tes deux cents malheureux
francs, tu peux me rembourser ? Imbécile... Igno-
rant!...

Ambroise débitait tout cela dans toutes les langues.
Sa grande consommation de romans policiers, sa fré-
quentation assidue des salles de cinéma où étaient
projetés des déchets de films, français, américains,
anglais, indiens, arabes, rendait son vocabulaire
fleuri.

Dieng était subjugué, le regard chargé de stupeur.
Son premier réflexe qui avait été de répondre, était
étouffé par la soudaine attaque du photographe. Il
resta muet et comme les curieux, il prêtait attention
au bagout de l'autre.

— Vieux, pars, conseilla quelqu'un dans la foule.

— Il me doit, répliqua Dieng sollicitant des yeux
le soutien d'un homme, d'âge mûr, habillé d'un caftan nuance jaune d'œuf, coiffé d'un arakiya couleur
chocolat. Dieng reprit, le regard dans celui de
l'homme :

— Voilà des jours que je lui ai commandé des
photos d'identité. Aujourd'hui, avec son apprenti,
il refuse de me les donner. Alors qu'ils me rendent
mon argent...

— Cet Ambroise est un salaud! Avec tous les scan-
dales qu'il fait, il n'est jamais inquiété par la police,
lança un autre dans la foule.

Ambroise bondit en poussant des grognements de porcelet :

— Qui a parlé ? Quel est cet enfant de pute qui parle ainsi ? Qu'il se montre. Ce vieux con m'a fait perdre plus de trente tickets de mille! Regardez ces dégâts! Je vais porter plainte contre lui...

Dieng coula vers le photographe un regard humide, puis vers l'homme à l'arakiya :

— Dans ce pays, il n'y a pas de loi. Tu me dois et tu parles, objecta Dieng gagné par un éclair de lucidité.

— Homme, je te prie de déguerpir.

C'était le gars à l'arakiya. Son regard rencontra celui de Dieng. Il répétait avec le même calme :

— Je te conseille de partir.

Dieng avait mal quelque part en lui. Ce flot de sang tiède qui le parcourait l'avertissait d'un danger, pinçant son cœur. Avait-il dit quelque chose de trop ?

— C'est un *agent secret* (policier en civil ou mouchard), murmurait-on dans la foule, qui, effrayée se dispersa.

— Il me doit, essaya encore de répéter Dieng, le front soucieux levé sur l'homme à l'arakiya.

— De quel côté vas-tu, lui demanda-t-il d'un ton doctoral.

Dieng se sentait étourdi ; une vague lourdeur léthargique figeait ses jambes. Cet état, un instant, le quitta et l'effort lui donna de l'énergie. Il avait la langue paralysée. Pourtant le refus d'une humiliation prochaine accroissait dans ses nerfs le flux de son pudique orgueil d'homme et l'aida à sortir, à fuir l'encerclement, et il dit s'adressant à l'homme à l'arakiya comme un enfant :

— Par là.

De l'arakiya, l'autre lui intima l'ordre de s'y diriger. A quelques centaines de pas, Dieng se retourna : lui, comme une statue, debout, le surveillait.

Il faut comprendre Ibrahima Dieng. Conditionné par des années de sourde soumission inconsciente, il fuyait tout acte pouvant lui porter préjudice, tant physique que moral. Le coup de poing reçu au nez était un *atte Yallah* : une volonté de Dieu. L'argent perdu aussi. Il était écrit que ce n'était pas lui qui le dépenserait, pensait-il. Si la malhonnêteté semblait l'emporter selon toute vraisemblance, c'était l'œuvre du temps, non celui de Yallah. Ce temps qui se refusait de se conformer à l'antique tradition. Ibrahima Dieng, pour effacer son humiliation, invoquait la toute-puissance de Yallah : c'était aussi un refuge ce Yallah. Au plus profond de son désespoir, de l'affront subi, la forte conviction qu'il avait de sa foi le soutenait, dégelait un ruisseau souterrain d'espoir, mais ce ruisseau éclairait de vastes zones de doute. La certitude que demain serait meilleur qu'aujourd'hui ne faisait aucun doute pour lui. Hélas !... Ibrahima Dieng ne savait pas qui serait, demain, l'artisan de ce meilleur, ce demain qui ne faisait pas de doute en lui.

Dieng ne voulait pas se montrer tel qu'il était aux gens du quartier ; les vêtements tachés de sang ainsi que ses babouches. Il avait l'idée exacte de l'estime dont il jouissait depuis le mandat. Depuis une semaine, il était seul, et seul, il devait faire face à l'adversité. De la grande rue, rasant les clôtures, la tête baissée, douloureuse, il allait d'angle en angle, héroïquement, sans être vu de personne.

Il pénétra dans sa maison.

Aram, d'un élan, se porta à sa rencontre, les prunelles brillantes de frayeur ; son regard allait de la figure de *leur* mari à ses babouches. Aux assauts de questions, Dieng ne répondait que par son silence. L'inquiétude étendait son tapis d'ombre dans le cœur de la femme.

Dans la pièce, Dieng s'allongea ; ses gémissements, à chaque pulsation, montaient d'une gamme. Des narines, à nouveau, s'écoulait le sang. Les deux bras sur la tête, Aram poussa un nouveau cri, long et plaintif.

— Ne pleure pas ! Ce n'est rien, dit Dieng qui se tamponnait le nez avec le pagne.

— Qu'est-ce qui t'est arrivé ?

— Oh!... rien ! Cesse tes hurlements. Tu vas ameuter les voisins.

— Lahilâ, il est mort, s'écria-t-elle à la vue
du sang en s'élançant au-dehors, les bras sur la
tête.

Les cris s'amplifiaient dans la cour ; et les voisins
accoururent, l'assaillant de questions.

— Il est dedans, mourant, répondit-elle, son sang
coule comme l'eau de la borne-fontaine.

Maigrichonne, souple encore, la vieille Nogoï, avec
puissance, entra dans la pièce suivie de Mety. Des
visages maussades attendaient. Depuis quelques jours,
la famille Dienguène était observée : chacun, dans son
for intérieur, sans se l'avouer, souhaitait son malheur.

— Il va mourir, répétait Aram geignarde.

— On a voulu le tuer ! Dès qu'il a reçu le mandat,
trois hommes se sont jetés sur lui, déclara Mety
vivement et à haute voix. Profitant de la soudaineté
et de l'effet de la surprise, elle poursuivait sur un
ton plaintif, les yeux huileux :

— Si l'argent était à lui, Yallah sait qu'on
souffrirait moins. L'argent était à son neveu qui travaille à Paris. Sa sœur était venue pour prendre sa
part, et c'est grâce aux boucles d'oreilles d'Aram
données en gage chez Mbarka qu'elle a pu repartir.
Maintenant, nous avons tout perdu... Tout, même
l'estime qu'on avait dans ce quartier à cause de ce
mandat.

Un souffle de commune solidarité de miséreux
traversa les cœurs.

— Ne pleure plus, Aram et toi aussi Mety, renchérit une femme.

— Ici, dans le quartier, tout le monde croit que
nous sommes des individualistes. Que nous faisons fi
de la solidarité du voisinage.

— Mety, ne nous accable pas ! Tu nous blesses.
Vrai, nous avons entendu parler de ce mandat.

Que veux-tu, quand on a une famille et qu'on a
faim, on croit à ce qu'on raconte. Tu sais que nos
esprits sont plus agiles à condamner qu'à être indul-
gents.

— Parce que nous avons faim, ajouta une autre
femme avec des yeux en perles, rebondis, et qui était
vêtue d'une camisole toute usée.

Les langues se délièrent et les pensées les plus
secrètes virent jour ; la gabegie, le népotisme, le chô-
mage, l'immoralité, la carence des autorités. On
élevait la voix ; les bras tendus, alertes, gesticulaient
dans le vide. On évaluait la somme.

— Cent mille francs volés en un jour !

— Moi, j'avais entendu dire qu'il avait un rappel
d'une année de salaire... Voilà plus d'une année qu'il
chôme.

— Son neveu doit arriver de Paris par avion.

— Espérons, et prions Yallah que ce neveu soit
musulman pour le pardonner.

Ce monologue collectif revint encore sur le pays ;
vénalité, fornication, délation.

La vieille Nogoï apparut.

— Alhamdoulillah!... il dort. A son âge, perdre
tant de sang! Dans quel pays sommes-nous ? Je ne
compte plus mes années et jamais je n'ai quitté Ndakaru, pourtant je confesse que je ne reconnais plus ce
pays.

Plus d'une heure après, le soir venu, les ménagères se retirèrent. La maison était silencieuse ; un petit feu tristement rougeoyait dans la cuisine.

Durant les deux jours que Dieng garda la chambre, il eut tout le loisir pour réfléchir et penser
au mandat, pour approcher analytiquement la vie
présente, la société dans laquelle il évoluait. Pous-
sait-il trop profondément ses investigations que tout
devenait flou, et il se perdait dans sa tête selon l'ex-

pression du pays. C'était un cercle sans brisure. Il
étouffait, les êtres étaient plus mauvais, de plus en
plus mauvais, sans respect du bien d'autrui. L'adage
était : " L'entreprenant ne vit que du bien du négligent. "

La communauté d'âge, après les prières, passait
faire un brin de parlote. Tous semblaient croire la
version de Mety. Après leur départ, il bouda seul
sur les allégations de sa première femme. Comment
allait-il faire ? Il fallait bien qu'il reprenne les démarches, trouver au moins trois cents francs pour
les photos, et cinquante pour le timbre. Avec tout
ce qu'il avait dépensé, il ne pouvait laisser réexpédier
le mandat. Il lui restait encore quatre à cinq jours
avant la date fatidique.

C'était en fin de matinée, son projet était mûrement
réfléchi. Les enfants, comme de coutume, étaient dans
la rue. Il fit de vertes remontrances à Mety qui répliqua :

— Maintenant, tu as la paix. Tu peux aller et venir
sans avoir à dire : " Yallah est mon témoin, je
n'ai pas le mandat. " Tu avais beau jurer, invoquer
Yallah et son prophète Mohammed, personne ne
te croyait. On racontait partout que tu avais reçu
un an de rappel de salaire. D'autres racontaient que
ton neveu t'avait mandaté deux cent mille francs
pour construire ta maison. Nous, *les femmes,* étions
mises à l'index. A la borne-fontaine, chacune venait :
" Avance-moi un kilo de riz ", " prête-moi cent
francs ", ainsi de suite. C'était insupportable de dire
toujours la même chose. Leur répondre la vérité ?...
Elles ne voulaient pas la croire. C'est simple, la vérité
ne sert plus à rien ! dit Mety.

— Il faut toujours dire la vérité. Si dure soit-elle
il faut la dire. Maintenant, qu'est-ce que je vais

dire ? Tu sais bien que le mandat est encore à la
poste.

— Ainsi, tu peux faire tes démarches sans avoir
des gens qui t'épient. Des gens viennent intentionnel-
lement voir ce qui bout dans notre marmite, pour
dire ensuite : " Voilà, ils ont reçu de l'argent... "
Non, ce n'est pas mentir !... C'est détourner les mauvaises pensées qu'ils nourrissent à ton égard. Puis,
n'oublie pas qu'Aram t'a prêté ses bijoux pour ta
sœur. Et la date est expirée.

— Je sais cela, et tu n'as pas à me le rappe-
ler, ni à insinuer que je préfère ma sœur à *mes*
femmes.

— Ibrahima, pardonne-moi, débuta Aram, les bi-
,oux, personne n'en parle. Si Yallah le veut, dès
que tu seras fortuné, tu m'en trouveras d'autres. Le
bien ne nous préserve pas de la mort, mais du déshonneur. Car ton bien est *nôtre*. Mety a raison —
pardonne-moi de te contredire. Il nous était impossible à l'une comme à l'autre de faire face aux nombreu-
ses sollicitations. Nous étions aux dires du quartier,
des égoïstes. Toute leur faim était canalisée, dirigée
vers nous.

— Vivre avec des voisins et être leur ennemi est
intenable. Et tu sais toi-même que nous ne sommes
pas les seuls à falsifier la vérité. Nous nous cachons
des uns et des autres. Pourquoi ?... Personne n'a de
quoi faire vivre décemment sa famille. Cette nouvelle conduite n'est pas le fruit de notre méchanceté,
c'est plutôt que la vie n'est plus comme du temps
de notre jeunesse, notre jeunesse à nous, les parents
d'aujourd'hui. Combien sont-ils ceux qui font rentrer leur sac de riz la nuit venue ? Et pourquoi ?...
Pour ne pas partager.

— Que vais-je dire quand on saura que le mandat
est à la poste ?

Mety leva le front, son mouchoir de tête noué de côté semblait accentuer le frisson qui secouait le bas de son visage. Dans ses yeux, le reflet accusateur, " est-il vraiment bête ou juge-t-il que c'est nous qui le sommes ? "

— Quand ce jour viendra, réponds que c'est Mety qui a menti.

— Moi aussi, articula Aram.

Dieng battit en retraite devant l'affermissement de leur volonté. " Il faut mentir jusqu'au bout ", se dit-il.

Encore affaibli, les joues creuses, il allait d'un pas de convalescent. Devant l'entrée principale, il inspecta les deux côtés de la rue, puis se dirigea vers l'angle de la boutique de Mbarka.

— Ibrahima... Dieng, s'annonça Gorgui Maïssa en guise de salutation. Et ta santé ?

— Alhamdoulillah !

Maïssa, le haut du front plissé, très soupçonneux, épiait Dieng. Habillé d'un grand boubou bleu indigo, Dieng, d'un mouvement d'accoutumance, preste, porta ses mains au.dos, rassemblant l'étoffe.

— Tu étais mal en point l'autre jour... Où cela s'est-il passé ? C'est à peine croyable.

— Moi-même, j'ai du mal à le croire. Pourtant. Enfin, l'honnêteté es^ un délit de nos jours aans ce pays.

— Han ! ponctuait Gorgui Maïssa, la bouche ouverte, ses chicots roussis par le jus de cola apparurent. L'éclat du soleil semait de faibles points argentés tout autour de l'iris, des réseaux de plis serpentaient le long de sa peau rêche. Il dit, sceptique :

— Peut-être as-tu raison, mais pourquoi le dis-tu ? Est-ce juste de vouloir mettre toutes les espèces de graines dans la même aune ?

— Quand rien ne vaut l'aune, une aune de toutes

les graines se compte comme aune, répliqua Dieng
avec sévérité.

— La possession totale d'une matière fait de celui
qui la détient un maître... Et rares sont les maîtres
impartiaux.

— Une somme de savoir en chaque matière si mi-
nime soit-elle rend n'importe quel benêt dans un milieu de benêts, docte. Je dis et répète que l'honnêteté est un délit dans ce pays de nos jours.

Cela dit, pour fuir Maïssa, il entra dans la boutique de Mbarka : celui-ci servait deux femmes, défé-
rent dans le ton, il répondait aux urbanités de l'arrivant et :

— Malgré cette maudite échéance, je serais venu
te voir. Peut-être qu'Aram ne t'a pas transmis mes
salutations ?

— Si, pas plus tard que ce matin.

— C'est incroyable ! Où irons-nous si cela continue, se faire voler le portefeuille en plein jour ! As-
tu porté plainte ? C'est le rôle de la police de trouver
les voleurs...

L'autre femme, Daba, la noirâtre comme on l'ap-
pelait dans le secteur, en même temps qu'elle comptait les boîtes de lait, tourna son visage sur Dieng :
un visage volumineux aux traits sans finesse.

— Tu as raison, j'y pensais ce matin, dit Dieng.

— C'est ce qu'il fallait faire le jour même. Il va
y avoir des gens qui douteront, ajouta Mbarka et,
s'adressant à Daba : Tu peux dire que ces billets
n'ont aucune valeur si j'en juge de la manière dont
tu les entretiens.

— Si tu n'en veux pas, laisse-les moi. Je ne thé-
saurise pas, moi.

— Daba, tu es une pointe de lance ! Que tu touches ou qu'on te touche, c'est pareil, on saigne.

— Qu'as-tu à mépriser ces billets ?... Pas assez

que tu gruges les gens, faut-il encore qu'on se mette
à genoux ?

— Comment allons-nous faire, Ibrahima ? interroge Mbarka faisant diversion.

— Il faut que tu patientes encore un peu. Même
aujourd'hui, j'ai besoin de toi.

— Mon ami... tu sais bien que ces produits ne
viennent pas de notre pays. J'ai mes débiteurs. Eux,
ils ne sont pas comme moi. Ils ne connaissent que les
dates. Fais un effort. Pendant que j'y pense... *l'objet*... en litige est mort...

— Je n'ai qu'une parole, dit Dieng appuyé contre
le comptoir, pensant à ce qu'il aurait à dire à Aram
pour ses bijoux.

— Tiens, j'avais une commission à te faire...

Mbarka s'approcha, se pencha vers lui, sa bouche
collée à l'oreille de Dieng. Lentement, le visage de
Dieng se rembrunit, ses traits se durcirent :

— Jamais ! s'écria-t-il subitement. Jamais ! Vendre
ma maison, pourquoi ?... Pour te payer ? C'est ce
que tu veux ? Dis à celui qui t'a commissionné que
jamais Ibrahima Dieng ne vendra sa maison. Jamais !
Etre pauvre, ça va, mais pauvre sans maison, c'est
la mort.

— Ne crie pas.

— Tu as le toupet de me...

— Et l'argent que tu me dois ? Ta maison, je
m'en fous, moi, tu me dois, tu payes. C'est tout!...
Car, moi aussi, je peux gueuler. Avec tes beaux
atours... du vent. Hier, quand tu rampais pour une
poignée de riz, on ne t'entendait pas tant.

— Tu m'as fait confiance parce que je paie. Tout
le monde sait que tu majores les prix.

Des gens arrivèrent, envahissant la boutique.

— Tu pourras crever de faim, ta famille et toi.

Plus de crédit pour personne. Foi de mes ancêtres, tu me paieras. J'irai à la police.

— Viens!... Viens, hurlait Dieng, le tirant par le poignet.

— Laisse-moi !... Je te dis de me laisser.

— Viens !

— Tu me paieras, je le jure. Par contre, plus jamais je ne ferai de crédit à personne.

— Mbarka, adresse-toi à Ibrahima Dieng, intervint Ibou. Toi, Dieng, lorsqu'on doit, on se montre conciliant.

— Ibou, j'en ai assez de me montrer conciliant. Je ne suis pas un matelas, plaide pour toi. Est-ce que tu vendrais ta maison ?... Réponds ?...

— C'était une commission ! C'est tout. Tu me dois et tu cries plus fort que moi ! Tu dis avoir été agressé ? Tu bluffes. Tu tiens à profiter de ton mandat tout seul. Mais tu me paieras.

A ceci, Dieng sentit s'amollir jusqu'à la moelle toute adversité. Il se redressa moralement, ses yeux en rencontrèrent d'autres où luisait la flamme du doute accusateur.

— J'étais avec lui, Mbarka. Ne souffle pas le venin dans les cœurs, opina Gorgui Maïssa qui s'était approché, le regard sur le front de Dieng baissé.

— Quand même je doute. Et tu paieras sans que j'aie besoin de sortir de ma boutique.

— Ne dis pas cela, Mbarka !

— Laisse-le, tout le monde sait qu'il entretient certains types...

— Cela me regarde ! Plus de crédit pour personne.

— Nos maris paient. Moi, le mien t'a payé hier, objecta une femme.

— C'est vrai, quand on doit, on paie. Le débiteur doit se montrer modéré dans ses propos vis-à-
vis de son créancier.

— Toi, Daba, tu t'es toujours acoquinée avec ce
voleur de Mbarka, intervint brutalement Mety qu'une
fillette avait été quérir à la borne-fontaine.

— Je ne te parle pas, Mety.

— Daba, moi, si je m'adresse à toi, ponctua
Mety en lui faisant face (la réputation de bagar-
reuse de Mety était légendaire malgré son âge).
Après Daba, elle s'avança vers le boutiquier · " Ce
qu'on te doit, je l'ai en tête. On te paiera!... Mais
nous ne nous dépècerons pas pour vendre notre
chair. "

— Mety, je ne te parle pas, c'est une histoire
entre hommes. Je parle à ton mari. Il me doit et
son nom figure sur mon registre, là...

— *Sustement* (justement), c'est parce que c'est
mon mari et c'est moi qui venais prendre les
choses. Tu as fait ton calcul, moi aussi. Si c'est
à cause du mandat, tu ravaleras ta salive. On l'a
volé.

Véhémente, la femme gesticulait, sa main, l'index
en avant, effleurait presque le visage de Mbarka.

De plus en plus, les gens s'agglutinaient :

— L'argent!... C'est fou ce qu'on se bagarre pour
les sous depuis notre indépendance, dit un homme
en babouches qui, des épaules, se faufilait pour jouir
davantage du spectacle.

— Malheur à celui qui a inventé l'argent, renchérit
la femme à ses côtés.

— En fait, dans notre pays, depuis quelque temps,
l'argent tient lieu de morale, dit quelqu'un d'autre
derrière.

— Pourtant, on en veut juste de quoi vivre, faire
vivre sa famille.

Soudain, un éclat de rire ébranla la foule :

— *Merde*, ponctuait en français pour la troisième fois Mety.

Le squelettique vieil homme qu'était Baïdy fit une irruption remarquée ; long et maigre, de toute sa hauteur, il toisa tout le monde. L'autre jour, après la visite chez Dieng, les mains vides, rentré chez lui, il avait dit à ses femmes :

— Plutôt mourir la faim au ventre que de tendre la main à la famille Dienguène.

Sentencieux, il déclara :

— Vérité pour vérité, quand on doit, on paie.

— L'ânier doit être du côté du propriétaire du foin; ce n'est pas héroïque de se faire payer une dette, quand le débiteur a de quoi, lança Mety, refusant de se taire, malgré les invitations réitérées de son mari et d'autres personnes.

— Quand l'homme se dessaisit de son autorité, il ne devient qu'épouvantail, objecta Baïdy le regard rivé sur Dieng.

— L'homme n'est épouvantail que lorqu'il n'est que verbe. Il y a homme et homme, répondit vivement Mety.

Le vieil homme se retira.

Les femmes, de leur côté, soutenaient Mety, formant société. Elles traitaient le commerçant de tous les qualificatifs.

La 403 noire de Mbaye vint stopper à la hauteur de l'autre porte. D'un pas souple et félin, Mbaye entra dans la boutique. Sa mise européenne et son renom dans le quartier lui conféraient une autorité. Très pondéré dans ses propos, au bout de quinze minutes, il ramena le calme. Les gens se dispersèrent. S'éloignant avec Dieng, Mbaye demanda :

— Tonton Dieng, ce matin, je t'ai attendu.

— Je pensais venir te voir et voilà que je tombe dans ce...

— C'est fini ! l'interrompit Mbaye. Passe me voir à deux heures.

Il entra dans la voiture, le moteur ronflait.

Gorgui Maïssa vint se mettre à côté de Dieng au moment où l'auto démarrait.

— C'est quelqu'un ce Mbaye, déclara-t-il.

— Pour tout à l'heure dans la boutique...

— Ce n'est rien, il faut se soutenir quoi qu'il arrive. Une langue est plus mauvaise qu'une balle de fusil.

La 403 tourna à la première rue.

Mbaye était de la génération " *Nouvelle Afrique* " comme on dit dans certains milieux : le prototype, mariant à la logique cartésienne le cachet arabisant et l'élan atrophié du négro-africain. C'était un homme d'affaires — courtier en tout genre — réclamant un tant pour cent sur chaque commission, selon la valeur de l'affaire. On disait de lui qu'il n'y avait aucun nœud qu'il ne pouvait défaire. Possédant une villa à l'angle du secteur Sud, il avait également deux femmes : l'une chrétienne, l'autre musulmane et une 403. Il tenait le haut du sable...

La villa de Mbaye " créchait " au milieu des bidonvilles et des vieilles baraques. Dans le salon encombré de fauteuils, de chaises, de pots de fleurs artificielles, le ton bleu dominait. Thérèse la chrétienne en instance de départ pour le travail reçut Dieng et l'installa dans le salon ; elle avait une robe fleurie et la perruque à la B.B.

— Mbaye fait sa sieste, lui dit-elle en français d'une voix fluette.

Voyant Dieng qui transpirait, elle fit fonctionner le ventilateur. Dieng promena un regard envieux sur l'ameublement et pensa : " Voilà un homme arrivé. Abdou aussi sera comme lui à son retour de Paris. " Plus de dix minutes s'écoulèrent quand Mbaye nouant sa cravate entra dans le salon.

— Comment!... Tu devrais me réveiller pour me dire qu'il y avait quelqu'un, dit Mbaye à l'adresse de Thérèse qui s'impatientait, lançant des coups d'œil vers la porte.

— Tu ne m'avais rien dit, mon vieux, répondit-elle en français aussi.

Mbaye, avec la courtoisie d'un cadet à son aîné, fit des excuses.

— Ce n'est rien, c'est moi qui suis venu un peu plus tôt. Je comprends, tu dois être fatigué.

Sans dépasser les limites de l'exagération, Mbaye volubile s'employa à lui démontrer le mécanisme infernal de la vie actuelle. Il n'avait même plus le temps de se reposer. Selon l'avis de son médecin, il devait aller faire une cure en France.

Une bonne vint avec un plateau pour servir le café.

— Apporte une seconde tasse pour tonton.

— Merci, je n'en prends pas.

Trois coups de klaxon se succédèrent et Thérèse aussitôt se leva en disant :

— N'oublie pas le *venti*... A ce soir !

— Pense à téléphoner au type. J'irai tantôt à Rufisque, dis-le-lui.

— Dac...

— Eskeye ! s'exclama Dieng.

— Notre pays fait des progrès. Les femmes ont les mêmes droits que les hommes.

Cela dit, il sirota son café. Dieng lui narra toutes les péripéties qu'il avait traversées et même la fausse nouvelle lancée par Mety.

— Parfois, les femmes sont géniales. Je pense que

c'est une bonne idée. Nous allons nous rendre à la
police. D'abord, nous allons trouver une procuration.
Tu me feras ton mandataire. Car nous n'avons plus le
temps pour une carte d'identité. A la police, il n'y
aura pas de problème; au plus tard, après-demain, tu
auras le mandat.

— Inchallah, je m'en remets à toi.

— Oh ! fit Mbaye se montrant modeste. Il y a de
fortes chances pour que le mandat ne soit pas retourné à ton neveu.

Le café bu, il arrêta le ventilateur. La première
épouse se présenta : elle était en tenue africaine.
Les présentations finies, elle prit son mari en
aparté.

Dieng dehors était au comble de la joie. Il ne savait
pas encore combien allait lui demander Mbaye. Lui
non plus ne savait pas combien il allait lui donner.
Mille francs ? C'était peu pour un homme comme
Mbaye. Cinq mille ?... C'était énorme aussi. Deux,
trois, quatre, il verrait !

Après la procuration à la poste, Mbaye le conduisit à la police. Tout le long du trajet, il ne cessa
de lui donner des conseils pour son neveu, Abdou.
Dieng, assis à côté de lui, acquiesçait. Comme le
lui avait laissé entendre Mbaye, au commissariat, tout
se passa rapidement. La procuration remplie, elle fut
vite légalisée.

— Tonton, maintenant, c'est fini. Je suis un peu en
retard pour un rendez-vous à Rufisque. Je serai de
retour ce soir. Demain matin, je me rendrai personnellement à la poste.

— Inchallah ! dit Dieng.

— Inchallah, répéta Mbaye. Demain, sois à midi
chez moi.

— Inchallah, j'y serai. Sans toi, je ne sais pas
ce que je serais devenu.

— C'est normal, tonton. Il faut s'entraider.
Tiens, prends un taxi car je ne peux pas te déposer.

— Non !... Non, refusa Dieng à Mbaye qui lui
tendait un billet de cinq cents francs. Je peux rentrer
à pied.

— Quand même, prends-le

Dieng n'en revenait pas. Demain, il aurait le mandat. Avec les cinq cents francs en poche, il se décida
à aller voir le scribe.

Le *rapide* le déposa à l'arrêt. Le hall de la poste
était à moitié vide. Le vieil écrivain n'avait devant
lui qu'un client. Il ne le reconnut pas. Dieng lui
rappela les cinquante francs et régla sa dette. L'autre
rajusta ses lunettes et prit son stylo à bille :

Dakar, le 19 août 196...

Cher neveu,

*Je t'écris pour te demander de tes nouvelles et te
donner celles de la famille qui sont excellentes. Yallah merci. Tous ici, nous pensons à toi et prions
pour toi.*

*Enfin, j'ai le mandat. Je n'avais pas ma carte
d'identité à l'arrivée du mandat. Yallah merci, tout va
bien. Ta mère était venue. Elle se porte bien. Maintenant, elle est repartie. Elle est restée une nuit seulement à cause des travaux aux champs. Je lui ai
donné ses trois mille francs. Elle te remercie, te salue
et prie pour toi. Elle demande que tu lui envoies
de quoi se vêtir et payer l'impôt. Cette année, tout
est majoré. La récolte de l'année passée n'a pas été
bonne pour eux. Tu es son seul soutien dans ce
monde.*

Quant à moi, je ne cesse de prier pour toi. Dès que j'ai reçu le mandat, j'ai agi comme tu l'indiquais dans ta lettre. S'il plaît à Dieu, tu trouveras tout ton argent ici; même si Yallah m'appelle à lui. Je te remercie d'avoir pensé à moi, d'avoir confiance en moi. De nos jours, l'étoffe de la confiance s'effrite. Je te demande de ne pas considérer l'argent comme l'essence de la vie. L'argent comme essence de la vie ne te conduit que sur une fausse route où, tôt ou tard, tu seras seul. L'argent ne solidifie rien. Au contraire, il détruit tout ce qui nous reste d'humanité. Je ne peux pas te dire tout ce qui se passe dans la tête.

L'écrivain cessa d'écrire. Il haussa les sourcils par-dessus le cadre métallique de ses lunettes; il lui semblait que son client lui dictait cette lettre avec une gorge mouillée. Au ras des paupières rampaient des larmes en ruisselet clair. Dieng leva son front : en effet, en grande personne, il pleurait :

— Pardonne-moi, homme ! C'est mon neveu, il est à Paris et il s'est conduit comme...

— Ici, je vois et j'entends toutes sortes de drames.

— Je disais pas plus tard que ce matin, que l'honnêteté est un délit dans ce pays.

— Je t'écoute, dit le plumitif ayant aperçu un autre client qui attendait. Tu en étais à : *Je ne peux pas te dire tout ce qui me passe par la tête.*

— *Je te remercie encore. Je n'oublierai jamais ta confiance. Tes tantes, Mety, Aram et toute la famille te saluent. A la prochaine lettre, je t'enverrai des gris-gris. Malgré que tu ne sois pas à Ndakaru, tu dois te protéger. On peut te jeter un mauvais sort. Il y a ici un vrai marabout que j'irai*

*voir pour toi. Je suis très content de savoir que tu
fais tes cinq prières par jour. Il faut continuer. N'oublie pas que tu es étranger à Paris. Ici, tous les gar-
çons de ton âge ont chacun une villa.*

Je n'ai plus rien à te dire, tu es un homme.

Ton oncle,

Ibrahima Dieng

— L'adresse ? demanda l'écrivain après lui avoir
lu et collé la lettre.

Dieng se fouilla :

— Je l'ai laissée chez moi.

— Ce n'est rien. Voilà, tu trouveras quelqu'un
pour t'écrire l'adresse.

Dans la rue, Dieng, le cœur battant de joie,
généreusement donna dix francs au vieux lépreux.

Chez lui, magnanime, il pardonna à Mety ses paroles outrageantes à l'égard de ce vieil homme de
Baïdy.

— Je te comprends, notre honneur à tous était
offensé et en public.

Ensuite, il alla rejoindre ses pairs à la mosquée.
Là, devant témoins, il fit des excuses à Baïdy qui
disait être sans rancune.

— Je veux quand même savoir que tu m'as pardonné ! Pardonné aussi à ma famille, répétait Dieng,
ivre de contentement.

— Je te le dis, je te pardonne.

— Alhamdoulilah ! que Yallah nous pardonne.
Moi aussi, je te pardonne.

— Amine!... Amine, dit l'assistance. Voilà ce
qu'on appelle des musulmans. Etre simple, plein de
son prochain. Que Yallah nous maintienne sur cette
voie.

Gorgui Maïssa que l'exubérance verbale de Dieng

travaillait resta sur ses gardes, en l'observant de côté.

Le *Gewe* fini, revenant ensemble, Dieng, évasif, répondait à côté de ses questions. Aussi, tard dans la soirée, Maïssa fit surveiller la maison de Dieng : qui sait s'il n'avait pas le mandat et ferait rentrer du riz la nuit noire venue. Ce furent des heures longues, pénibles d'une vaine faction.

Le jour suivant, en proie à la fébrile euphorie des êtres humbles dans leur espérance, Dieng fit le tour du pâté de maisons en homme conscient d'être membre d'une communauté. Tout un chacun le plaignit de sa mésaventure et le réconforta. Il répétait :

— A un homme, il faut de quoi faire vivre sa famille. Lorsque tout le monde aura à manger, de partout s'élèvera la paix des cœurs.

Plusieurs fois, la main dans la poche, ses doigts rencontrèrent la lettre adressée à Abdou. Elle était froissée, il pensa : " Mbaye me donnera une autre enveloppe. "

De retour chez lui, il éleva la voix :

— Mety, personne n'a vu la lettre d'Abdou ?

— Non... Peut-être Aram.

— Moi ?... Non plus ! Fouille dans tes papiers.

— Dans cette maison, on ne peut rien trouver. Je l'avais pourtant bien rangée ici, rouspétait-il contre toute la maisonnée.

Il la retrouva dans une de ses poches.

La prière de *tisbar* achevée, il se rendit chez Mbaye.

— Bonjour, tonton, le reçut Thérèse, mon homme est absent.

— N'a-t-il pas laissé une commission pour moi ?

— Si, répondit-elle en remettant en ordre une touffe de mèches rebelles de sa perruque. Elle poursuivit :

— J'attendais la voiture pour te le déposer chez toi. Il y a un sac de riz pour toi. On nous l'a livré ce midi.

— Il y a, je pense, une erreur, dit-il après une longue pause.

— Non, non, tonton, je ne me suis pas trompée. Mbaye m'a laissé un mot. Ce sacré chauffeur, il n'est jamais à l'heure. Rentrons...

— Quand reviendra-t-il ? interrogea Dieng en prenant place au même endroit qu'hier.

— Tonton, il ne dit rien, il est parti pour Kaolack.

— Peut-être qu'il reviendra ce soir ?

— Je n'en sais rien, tonton. Quand même, je vais demander à ma *veudieu*.

Elle revint un moment après :

— Elle n'en sait rien non plus.

— Je repasserai, dit Dieng en se levant, sentant la lourdeur de la déception sur ses épaules.

— Tu ne prends pas le riz, tonton ?

— J'attends son retour.

Dehors, ses pensées s'enchevêtraient.

Jusque tard dans la nuit, il ne faisait que la navette entre sa maison et celle de Mbaye. A chaque voyage, déçu, sa rage croissait. Chez lui, aucune de ses épouses ne posa de questions. Tout en lui transpirait la fureur contenue.

Le lendemain matin, il alla égrener son chapelet devant la villa. Vers huit heures, en même temps que la bonne, il entra au salon. La première épouse, le front marqué d'un rond de sable (elle venait de finir la première prière du jour naissant) le fit patienter. En moins d'une demi-heure, Mbaye sortit, habillé, son porte-documents à la main :

— On m'a dit que tu es venu hier. Excuse-moi, hier, j'étais à Kaolack.

— Je sais que tu n'as pas le temps, dit Dieng.

La présence de Mbaye l'avait "regonflé" et faisait naître en lui l'optimisme. Toutes les réflexions coléreuses de la nuit crevaient comme des bulles de savon.

— Tu n'as pas pris le sac de riz, commença Mbaye.

Il fut interrompu par l'arrivée de la bonne qui servait le petit déjeuner :

— Fais vite, lui dit-il, apporte le beurre qui est dans le papier, l'autre dans la tasse est rance. Tonton, tu prends du café ?

— Non, merci !

— Avec du lait, insista-t-il.

— Merci. Je suis toujours à l'infusion de quinquéliba.

— Je suis un mordu du café... Bref ! ... Je ne sais comment te dire. Tu es mon oncle!... Pour le riz, je passais chez mon Syrien, comme il avait du riz, j'en ai pris pour toi. Je pensais à la discussion que tu as eue avec Mbarka.

— Je ne savais pas pourquoi c'était.

— Tu as bien fait, d'ailleurs. Je ne pouvais pas tout expliquer aux femmes. Tu sais comme elles sont.

Mbaye parlait d'un débit mesuré pour se faire mieux comprendre.

— J'ai effectivement encaissé le mandat, hier. Ayant une course à faire à Kaolack, une course qui réclamait ma présence, je gare mon auto, à l'arrivée, en face du marché — tu connais Kaolack ? Une ville de voyous ! Hors de l'auto, je traverse ce marché, j'achète je ne sais plus quoi et au moment de payer, je cherche mon portefeuille... Plus rien ! Non seulement, il y avait tes vingt-cinq mille francs, mais soixante autres.

— Mais... fit Dieng sans pouvoir continuer.

Mbaye trempa son pain dans le café; Dieng ne perdait rien de la gymnastique des mâchoires.

— C'est comme je te le dis.

Leurs regards se croisèrent.

— Tu ne sembles pas me croire, tonton. Pourtant, c'est la vérité, la pure vérité ce que je te dis. Je le jure au nom de Yallah. A la fin du mois, je te rembourserai. Je suis victime de mon cœur.

— Non, non, fils. Je suis père de famille. Voilà un an que je chôme. De plus, cet argent n'est pas à moi.

— Tu crois que je t'ai roulé?... Non ! Mety est une parente, et c'est à cause de cela que j'ai voulu te rendre service.

Dieng, abasourdi, avait du mal à réagir, même moralement, comme cela lui arrivait de le faire. Il ouvrait et fermait machinalement ses mains. Les phrases demeuraient informulées.

— Ecoute, tonton, voilà mon portefeuille et les cinq mille francs que j'ai. Je te les laisse, prends. Tiens... Je sais que le mandat n'est pas à toi. Je vais faire porter le sac de riz chez toi. Si je ne te connaissais pas, je dirais que tu ne crois pas en Yallah. Dès la fin du mois, je viens te donner la différence, même si, entretemps, tu veux des choses, ne te gêne pas, viens me voir.

Mbaye appela la bonne et lui dit :

— Fais mettre le sac de riz qui est dans l'autre chambre dans l'auto. Tonton, viens...

Dieng était-il annihilé ? La colère et la déception lui avaient ravi toute volonté. Le revers brutal de son optimisme avait-il anéanti son cerveau ? Quoi qu'il en fût, il suivait, il vit deux hommes charger le sac.

Il constata :

— Ce n'est pas un cent kilos : c'est un demi (cinquante kilos).

— Oui, répondit Mbaye en l'interrompant et lui tapant sur l'épaule, c'est tout ce que j'ai pu obtenir...

La 403 le déposa devant chez lui ; aidé de Mbaye, il débarqua le sac. Avant de repartir, Mbaye lui fit des promesses fermes.

Le demi-sac était devant la porte; les ménagères, passant à la hauteur, jetaient dans sa direction des yeux concupiscents. Une, courageusement, vint accoster Dieng :

— C'est du riz, Ibrahima ?

— Oui, répondit-il.

— Vrai, du riz ? Si je pouvais en avoir ?

— En veux-tu ?

— Oui, Dieng.

— Pose là ta calebasse.

Il la lui remplit : les autres présentaient aussi leurs ustensiles. Sans mot dire, Dieng procédait à une distribution. En moins de trente secondes, une minute même, la nouvelle se répandit :

— Ibrahima Dieng sort la dîme.

Mety et Aram accoururent. Brutalement, elles éloignèrent les bras.

— Tu es devenu malade, Ibrahima, s'écria Mety.

— Je l'étais.

Tant bien que mal, les deux épouses traînèrent le sac, sous les huées des autres femmes.

— Rentrez chez vous, c'est fini, disait Aram revenue chercher *leur* mari resté devant l'entrée.

— Je ne suis pas fou !

— Ibrahima, pourquoi cette prodigalité maladive ? Où a-t-on vu, depuis que le monde est monde, les pauvres jeter du riz ?... Même les *risses* (riches) se gardent de ce geste. Et toi...

— Et toi, quoi ? l'interrompit Dieng, assis la tête prise entre les mains. C'est ton Mbaye...

— Mbaye Ndiaye ?

— Oui, Mbaye Ndiaye ! Je lui ai signé une procuration et il a volé le mandat. A la place, il me donne ce demi-cent kilos et cinq mille francs.

— Quoi?... Le mandat ?...

— Et mes bijoux ?

— Aram, toujours ton égoïsme ! Cesse de ne penser qu'à toi. Tu sais combien j'ai perdu pour ce mandat ?

— Et moi, tout ce que j'ai emprunté ?

— Tu as emprunté, Mety ? interrogea Dieng, le regard levé sur la femme.

— Il y a longtemps que sont finis les quinze kilos de riz.

— Ce mandat n'était pas à moi.

— Gens de la maison, avez-vous la paix ?

— Paix seulement, Bah !

Le facteur triait le paquet de lettres dans ses mains.

— Ibrahima Dieng, que se passe-t-il, de l'autre rue, j'ai entendu dire que tu distribuais du riz.

Dieng le mit au courant. Bah releva la visière de son képi et déclara :

— C'est un geste de désespoir ce que tu as fait.

— C'est fini. Moi aussi, je vais me vêtir de la peau de l'hyène.

— Pourquoi ?

— Pourquoi ?... Parce qu'il n'y a que fourberie, menterie de vrai. L'honnêteté est un délit de nos jours.

Bah lui remit une lettre en disant :

— Elle vient de Paris. Il y a le cachet. Tu crois que tout est pourri ?... Non... Même ceux qui travaillent ne sont pas contents. Cela changera.

— Qui le changera ? Je suis resté un an sans travailler parce que j'avais fait la grève. J'ai deux femmes, neuf gosses. Il n'y a que la fourberie qui paye.

— Demain, nous changerons tout cela.

— Qui, nous ?

— Toi.

— Moi?...

— Oui, toi. Ibrahima Dieng.

— Moi?...

Une femme entra, un bébé sur le dos, interrompant Dieng par ses salutations :

— Maître du céans, par la grâce de Yallah, je te demande de me venir en aide. Voilà près de trois jours que mes enfants et moi nous ne faisons qu'un repas par jour. Leur père ne travaille pas depuis cinq ans. De la rue, on m'a dit que tu étais bon et généreux.

Dieng se redressa. Son regard avec celui de Bah se rencontrèrent. La quémandeuse observa les deux hommes.

Tous gardèrent le silence.

Achevé d'imprimer en juillet 1992
sur les presses de l'Imprimerie Bussière
à Saint-Amand-Montrond (Cher)

— N° d'imp. 2124. —
Premier dépôt légal : 1ᵉʳ trimestre 1966.
Imprimé en France